監修　野崎順　江川昭夫

高橋書店

はじめに

「英検」対策指導をしていると、このような生徒たちの悩みをよく聞きます。そんな悩みに応えるために、作ったのが本書です。

「英検」２級のリニューアルした問題にとまどっている人も、どう対策していいかわからない人も、過去問に心を折られてしまった人も、この問題集に取り組めば、合格への道が見えるはずです。

この問題集を解けば…

こんなふうに変化すると思います。

本書は、多くの「英検」２級合格者を送り出してきた私たちの、長年の「英検」指導でつちかった「合格するための秘訣」と「英語が苦手な人でも学習を続けられる仕掛け」がギッシリ詰まっています。

ぜひこの問題集で「英検」２級合格をつかみ取ってください！

野崎　順・江川　昭夫

この本で合格できる理由

圧倒的合格率の「英検」対策講座の内容を再現！

今も中高生に「英検」対策を指導する現役教師の監修者が、合格のノウハウを凝縮しました。「こんな問題集がほしい！」という生徒たちの声にこたえて、他にはない3つの特長を盛り込みました。

1 記憶が定着しやる気も上がる！　問題前の「単語リスト」

「英検」対策で大切なのは語彙力です。単語の意味がわからないと、問題を解くことができず、勉強を途中でやめてしまいます。そこで、問題の前に「単語リスト」を用意しました。事前におさらいしてから問題に挑戦することで、

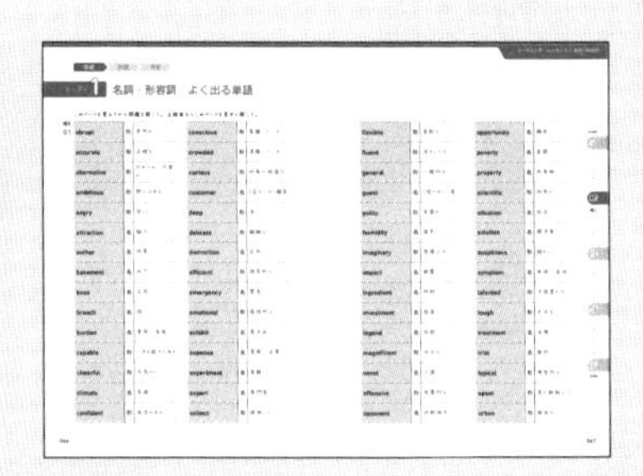

❶予習の効果で問題が解きやすくなり、正解する喜びが学習意欲を高める
❷覚える単語数がしぼれてやる気が出る
❸復習もしやすく、語彙が定着しやすい

といったメリットがあります。

2 短い文章でポイントがわかる「書き込み式解説」

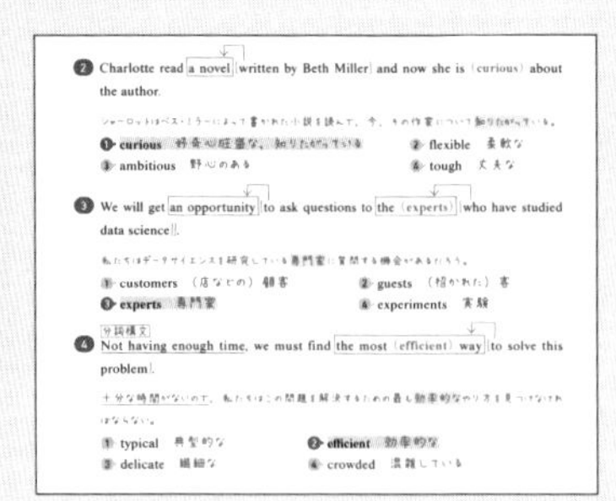

❷ Charlotte read a novel [written by Beth Miller] and now she is (curious) about the author.

シャーロットはベス・ミラーによって書かれた小説を読んで、今、その作家について興味津々でいる。

❶ curious 好奇心旺盛な、知りたがっている　❷ flexible 柔軟な
❸ ambitious 野心のある　❹ tough 丈夫な

❸ We will get an opportunity [to ask questions to the (experts) [who have studied data science]].

私たちはデータサイエンスを研究している専門家に質問する機会があるだろう。

❶ customers （店などの）顧客　❷ guests （招かれた）客
❸ experts 専門家　❹ experiments 実験

分詞構文
❹ Not having enough time, we must find the most (efficient) way [to solve this problem].

十分な時間がないので、私たちはこの問題を解決するための最も効率的なやり方を見つけなければならない。

❶ typical 典型的な　❷ efficient 効率的な
❸ delicate 繊細な　❹ crowded 混雑している

動画視聴が一般的になり、文章を読むのが苦手な人が増えています。だらだらと長い解説は、なかなか読む気になれません。

本書では、部分訳やポイントと、問題文が一緒に見える「書き込み式解説」を採用。解説文が短くなり、英文と訳の対応もつかみやすくなります。

どんな人も「書ける」ようになる！「間違いさがし式」ライティング対策

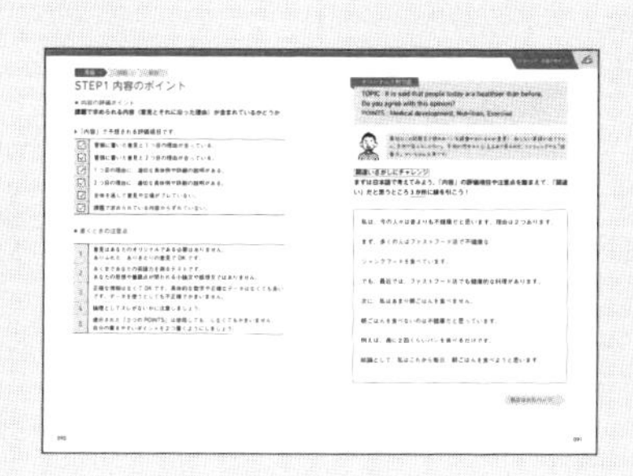

STEP1 内容のポイント

TOPIC: It is said that people today are healthier than before.
Do you agree with this opinion?
POINTS: Medical development, Nutrition, Exercise

間違いさがしにチャレンジ

ライティングは高配点ですが、苦手とする人が多い分野です。その傾向を分析すると、以下のような原因が見えてきます。

❶採点基準がはっきりしないので、何を書けばいいのかわからない
❷どうやって書いていいのかわからない
❸英文を書くのがめんどうくさくて、対策が後回しになる

そこで、本書では、解答例の誤った部分を読者が見つける「間違い探し式」のライティング対策を採用しました。悪い例と良い例を比較することで、ライティングの採点基準に沿った英作文を書く力が自然と身につきます。

さらに、2024年度から新設された要約問題にも完全対応しています。

このほかにも、「英検」合格のために必要な要素を凝縮しました。

- リスニングに使える音声ダウンロード
- 二次試験（スピーキング）対策ができる面接対策動画
- 模擬テスト

ぜひ、この本を活用して、最短での合格を目指してくださいね！

受験ガイド

※内容は変わる場合があります。最新の情報は「英検」の HP 等でご自身でご確認ください。

● 2 級の出題レベル

2 級のレベルは「高校卒業程度」とされています。

● 2 級の試験形式

2 級には一次試験合格後に二次試験を受験する「従来型」と、4 技能を 1 日で受験する「S-CBT」があります。

従来型

- □ 年 3 回実施
- □ 一次試験と二次試験に分けて開催

【一次試験　マークシート方式】

筆記試験（85 分）

リーディング（31 問）／ライティング（2 問）

リスニング試験（約 25 分）

リスニング（30 問）

一次試験合格の場合
後日に二次試験実施

【二次試験　面接方式】

面接試験（約 7 分）

スピーキング（5 問）

合格

S-CBT

- □ 毎週実施（最大年 6 回受験可能）
- □ 4 技能を 1 日で試験
- □ PC 画面上での操作

スピーキング（15 分）

※動画を見ながら、パソコンへの音声吹き込み

リスニング試験（25 分）

リスニング（30 問）　※マウス操作

リーディング・ライティング（85 分）

リーディング（31 問）※マウス操作
ライティング（2 問）※タイピングと解答用紙への手書きが選べる

合格

● 2級の試験内容

▼ リーディング

短文の語句空所補充	文脈に合う適切な語句を補う	17問	短文 会話文	4肢 選択
長文の語句空所補充	パッセージの空所に 文脈に合う適切な語句を補う	6問	説明文	
長文の内容一致選択	パッセージの内容に関する 質問に答える	8問	Eメール 説明文	

▼ ライティング

英文要約	文章の内容を英語で要約する	1問	説明文 など	記述式
英作文	指定されたトピックについての 意見を英語で論述する	1問	トピック など	

▼ リスニング

会話の内容一致選択	会話の内容に関する質問に 答える（放送回数1回）	15問	会話文	4肢 選択
文の内容一致選択	パッセージの内容に関する質問 に答える（放送回数1回）	15問	物語文 説明文	

▼ スピーキング

音読	60語程度のパッセージを読む	1問	個人面接 （S-CBTの場合は、PC画面上の出題に対し、音声吹き込み）
パッセージについての質問	音読したパッセージの内容に ついての質問に答える	1問	
イラストについての質問	3コマのイラストの展開を 説明する	1問	
受験者自身の意見など	ある事象・意見について 自分の意見などを述べる	1問	
受験者自身の意見など	日常生活の一般的な事柄に 関する自分の意見などを述べる	1問	

英検®2級合格問題集

CONTENTS

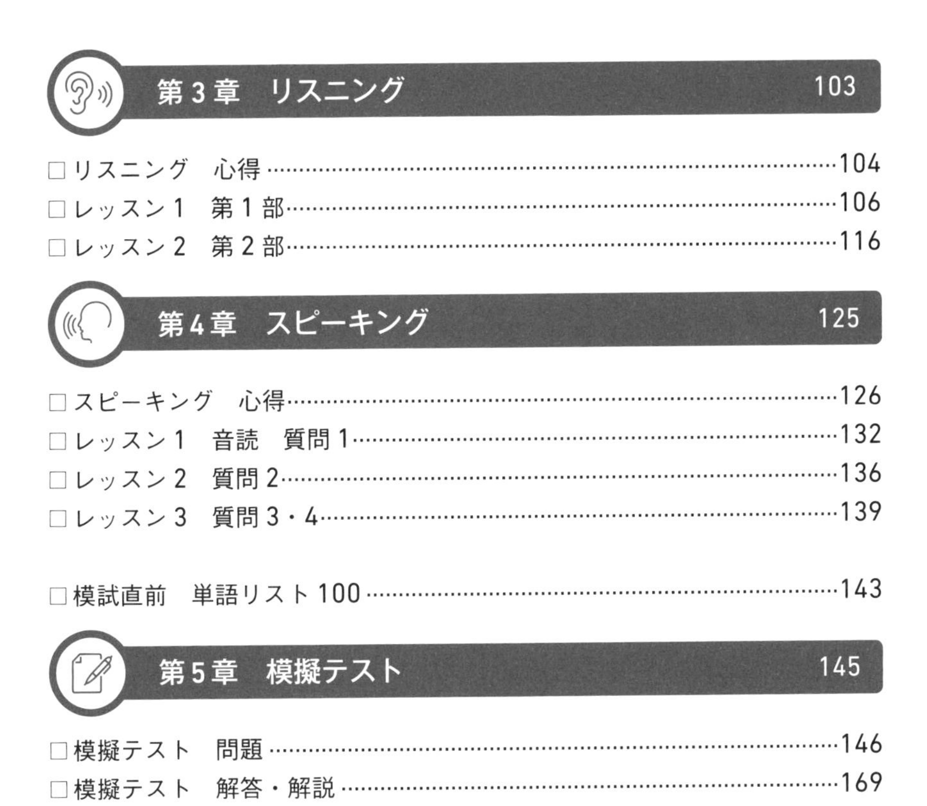

第3章 リスニング 103

第4章 スピーキング 125

第5章 模擬テスト 145

編集協力：株式会社エディット、久里流ジョシュア（英知株式会社）
本文デザイン：永田理沙子（株式会社 dig）
イラスト：柏原昇店、笠原ひろひと
DTP：株式会社千里
校正：株式会社ぷれす
音声収録：ユニバ合同会社
ナレーション：ジュリア・ヤマコフ、ピーター・ガーム、小谷直子

本書の使い方

本書は、監修者が授業でつちかった「英検」対策メソッドを書籍で再現しています。以下の流れを参考に、ぜひ合格をつかみ取ってください！

❶ 各章の心得を読む

各分野の最初には、問題の全体像と対策法がわかる「心得」を掲載しています。ここを読んで、解き方をイメージしてレッスンに進みましょう。

❷ 赤シートを使って、単語リストをチェック

各レッスンの最初には、重要単語リストを付けました。自分のレベルに合わせて、以下のような活用ができます。

初級	単語リストを覚えてから、すぐ問題を解く ➡単語に先に目を通すことで、問題が解きやすくなります
中級	単語リストを覚えた後、１日以上たってから、問題を解く ➡時間をあけることで、記憶が定着します。問題を解きながら、覚えた単語と覚えていない単語を区別し、復習に生かしましょう
上級	先に問題を解いてから、単語リストをチェック ➡自信のない単語には印をつけて、受験当日までに復習しましょう

❸ 問題を解く

実際に問題を解きます。選択肢も重要単語ばかりを集めているので、意味がわからなかったものにはチェックを入れておくのがポイント。

❹ 解説を読む

本書では、先生が授業で行うように英文に赤字を書き込んだ「書き込み式解説」を採用しました。英文のすぐ近くに意味や解説が書かれているので、何度もページをめくらずにすみます。問題文の意味がわからなかった人は、どこでつまずいたのか確認しましょう。

❺ 間違えた単語を復習する

ひと通り問題を解いたら、単語リストに戻って、重要単語を頭に叩き込みます。

❻ 模擬テストで確認

最後に模擬テストで総仕上げ。時間を計りながら、実際の試験をイメージして解いてみましょう。

リスニング音声・面接対策動画の再生方法

音声再生・ダウンロードの方法

パソコン・スマートフォン・タブレットでかんたんに音声を聞くことができます。以下の手順にしたがってダウンロードしてください。

❶ 右の二次元コードを読み取るか、
もしくは下記の専用サイトにアクセスしてください。
https://www.takahashishoten.co.jp/audio-dl/27619.html

❷ ❶のページにアクセスし、パスワード「27619」を入力して「確定」をクリックしてください。

❸「全音声をダウンロードする」のボタンをクリックしてください。
※トラックごとにストリーミングでも再生できます。

❹ zip ファイルを解凍し、音声データをご利用ください。

動画再生の方法

上記の二次元コードリンク先ページ内に、動画へのリンクが貼られています。該当部分をクリックして、その都度再生してください。
(動画はダウンロードできません)

※本サービスは予告なく終了することがあります。
※パソコン・スマートフォン等の操作に関するお問い合わせにはお答えいたしかねます。

第1章

ライティング

WRITING

英検 2級

ライティング　心得

1 はじめに

英検2級合格のためにはライティングがいちばん大切です。

ライティングを解かない、または質問されていることに答えていないという「重大なミス」をすると、ライティングが「0点」になります。ライティングが「0点」だと、リーディングとリスニングがたとえ「満点」でも合格できません。

ライティングを解く時間の目安は、英文要約問題が15分間、英作文問題が20分間、合計35分間です。制限時間はリーディングとライティングを合わせて85分です。ライティングを解く時間を確保するために、リーディングより先に解くことをおススメします。

2 採点項目

1. 英文要約問題

❶内容	英文の内容をきちんととらえられているか。 重要な要素を押さえられているか。
❷構成	論理的な文章の構築ができているか。 要約された文だけを読んでも理解できる流れになっているか。
❸語彙	それぞれの文章に合わせて、適切な英単語や英語表現がきちんと使えているか。
❹文法	それぞれの文章に合わせて、複数の文法を適切に使えているか。

2. 英作文問題

❶内容	聞かれたトピックについて答えられているか。 意見も理由もトピックから外れていないか。
❷構成	導入・本論・結論という英文の流れで論理的に書かれているか。 本論には2つの理由とその説明が書かれているか。
❸語彙	英文要約問題の採点項目と同様。
❹文法	

3　採点方法

英文要約問題と英作文問題を、それぞれ以下の評価項目で評価して、合計した得点が CSE スコアに変換されます。

英文要約問題

内容 4点 ＋ 構成 4点 ＋ 語彙 4点 ＋ 文法 4点 ＝ 合計　16点

英作文問題

英文要約問題で 16 点、英作文問題で 16 点、合計 32 点で採点されます。その後「特殊な計算」で 650 点満点の CSE スコアに変換されます。

残念ながら、この「特殊な計算方法」は公表されていません。ただし、合格の目安はオール 3 点の計 24 点です。リスニングかリーディングが得意でないなら、まずは 24 点を超えられるようにしましょう。

準備　問題　解答

ライティング問題①　英文要約問題

リニューアルで新設された英文要約問題

2024年度のリニューアルで2級に新設された英文要約問題。新しい問題だけど、こわがる必要はないよ。なぜなら、今までのライティング問題（英作文問題）よりカンタンだから。高得点のキーワードは「リーディング力」「ディスコースマーカー」「パラフレーズ」の3つだ

▶英文要約問題の攻略法

1．各段落の要点をとらえる。

英文要約問題はライティングの前に、問題文を読み解くリーディング力がまず問われます。長文問題に比べれば簡単で短いけれど、きっちりと内容を理解する必要があります。

2．要約の順番はそのままの順序でOK。

各段落の要点をそのままの順序で書けばOK。ただし、そのままの順序で書いてもわかるように「つなぎ言葉（ディスコースマーカー）」を入れるのが高得点のポイントです。
要約された文章だけを読んでも意味が通り、本文の要点が読み取れるようにしましょう。

3．言葉を置き換えよう。

本文で使われている単語や表現を別の言葉に置き換える「パラフレーズ」というテクニックが重要です。
本文で使われている表現をそのまま書き写すだけでは要約としては不十分。なるべくいろいろな表現に置き換えるようにしましょう。細かいテクニックはこの後の26ページSTEP3　語彙のポイントで紹介します。

ライティング問題②　英作文問題

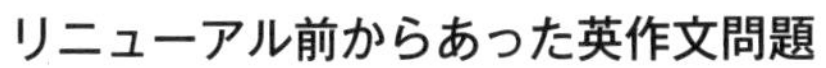

リニューアル前からあった英作文問題

英文要約問題が加わる前からあった英作文問題。英文要約問題と比べると、こちらの方が書く文章量が多くて、より深い思考力が問われるから、レベルが高いんだ。でも、あせる必要はないよ。以下のポイントを押さえておこう

▶英作文問題の攻略法

1．聞かれているトピックについて答える。

当たり前のことですが、じつは意外と難しいポイントです。まず、トピック文に出てくる単語を理解できないと、ぜんぜん違う内容を書いてしまいます。指示通りの答えを書くためには語彙力（単語力）を鍛えておくことが重要です。

2．書く前に「構成」を考える。

英文要約問題とは違って、英作文問題では「構成」をしっかりと考える必要があります。ただやみくもにいきなり書くのではなく、一度、書く内容と順番を整理しましょう。

3．書いたら見直しをする。

英作文問題では、自分の意見の立場がブレてはいけません。意見の理由や説明を長々と書いている間に、自分の立場が変わってしまっていないか、きちんと見直しをしましょう。

これらのポイントを押さえて、この後のレッスンでトレーニングすれば、どうやって答えればいいかわかるよ

準備 問題 解答

STEP1 英文要約問題　内容のポイント

● 内容の評価ポイント

英文の要点を適切にとらえているか

▶英文要約問題の「内容」で予想される評価項目です。

☑	この本文の伝えたいことをしっかりととらえている。
☑	具体的な情報を抽象化・一般化している。
☑	重要ではない情報や細かい情報は省略している。

● 書くときの注意点

1	読み飛ばさずに、各段落の中でいちばん重要な文章や箇所を探しましょう。
2	１段落につき１・２文になるようにまとめます。
3	具体例をなるべく抽象化し、「一般化した単語」に置き換えます。

オリジナル予想問題①

When people want to have a healthy lifestyle, many of them like to go for long walks around their towns, cities, or neighborhoods. Others decide to join a sports team, like a local basketball or soccer team. Some people, however, choose to exercise at fitness centers.

What are some reasons for why people go to exercise centers? To start, fitness centers have machines for running, cycling, weight-lifting, and so on. In addition, people can get advice from staff members at these centers who have professional exercise experience, so they can learn how to exercise properly.

Nonetheless, membership programs at fitness centers can cost a lot of money. Furthermore, it may be difficult to exercise when the centers are too busy. Some people may not be able to use the facilities when these fitness centers become crowded with too many visitors.

まずはこの長い英文を理解する読解力が必要だ。
要約に必要な重要ポイントを見つけ出そう

START

GOAL

①　要約に使えるところに線を引こう！

まずは日本語で考えてみよう！　要約に使えると思うところに線を引こう！

予想問題の日本語訳

健康的な人生を送りたいとき、多くの人は彼らの町や都市、近所の周りで長めの散歩をするのを好む。地元のバスケットボールやサッカーチームのようなスポーツチームに入る決心をする人もいる。しかし、フィットネスセンター（スポーツジム）で運動することを選ぶ人もいる。

人々が運動するスポーツジムに行く理由は何だろうか？　まず、スポーツジムにはランニングやサイクリング、ウェイトリフティングなどのための機械がある。加えて、人々は、これらのスポーツジムの専門的な運動経験のあるスタッフからアドバイスをもらえる。だから、彼らはきちんと運動の方法を学ぶことができる。

けれども、スポーツジムでの会員プログラムにはたくさんのお金がかかる。さらに、そのスポーツジムが混みすぎているときは、運動するのが難しいかもしれない。あまりにも多い来場者でこれらのスポーツジムが混雑していると、その設備を使うことができない人もいるかもしれない。

②　文章の要約の間違いをさがそう！

「内容」の評価項目や注意点をふまえて、要約できていないと思うところを3か所に線を引こう

健康的な人生を送りたいとき、人々は長めの散歩をする。

フィットネスセンターにはランニングやサイクリング、ウェイトリフティングなどのための機械があり、プロのスタッフのアドバイスがもらえる。

けれど、フィットネスセンターに通うのにはお金がかかる。

解答は次のページ

解答

①要約に使えるところに線を引こう！

健康的な人生を送りたいとき、多くの人は彼らの町や都市、近所の周りで長めの散歩をするのを好む。地元のバスケットボールやサッカーチームのようなスポーツチームに入る決心をする人もいる。しかし、フィットネスセンター（スポーツジム）で運動することを選ぶ人もいる。

人々が運動するスポーツジムに行く理由は何だろうか？　まず、スポーツジムにはランニングやサイクリング、ウェイトリフティングなどのための機械がある。加えて、人々は、これらのスポーツジムの専門的な運動経験のあるスタッフからアドバイスをもらえる。だから、彼らはきちんと運動の方法を学ぶことができる。

けれども、スポーツジムでの会員プログラムにはたくさんのお金がかかる。さらに、そのスポーツジムが混みすぎているときは、運動するのが難しいかもしれない。あまりにも多い来場者でこれらのスポーツジムが混雑していると、その設備を使うことができない人もいるかもしれない。

②　文章の要約の間違いをさがそう！

健康的な人生を送りたいとき、人々は長めの散歩をする。

→　何人かの人はフィットネスセンターで運動することを好む。

第1段落やその後の段落をよく読むと、今回の要点は、「散歩」ではなく「フィットネスセンターに通うこと」であることがわかるね

フィットネスセンターにはランニングやサイクリング、ウェイトリフティングなどのための機械があり、プロのスタッフのアドバイスがもらえる。

→　フィットネスセンターには現代的な運動器具があり、プロのスタッフのアドバイスがもらえる。

具体例がいくつか書かれているときは、それらを抽象化・一般化できると高得点につながるよ

けれど、フィットネスセンターに通うのにはお金がかかる。

→　フィットネスセンターに通う場合は、お金の問題や、混雑の問題がある。

今回のように問題点が複数書かれているときは、解答例のように、できればそれらをまとめて書けるようになろう

英文要約問題 「内容」のアドバイス

1 第１段落の中から、この本文のメイントピックを探す！

英文要約問題では「英文の内容を読み解く力」が試されます。この本文全体のメイントピックは必ず第１段落の中にあるので、それを探しましょう。

メイントピックに入る前に、前置きが書かれていることが多いので、第1段落の後半に注目しよう

2 複数の具体例が並んでいたら、まとめて１つにしてしまおう！

machines for running, cycling, weight-lifting のように、具体的なモノが並んで書かれていたら、１つの言葉にまとめます。今回であれば、「現代的な運動器具」などとひとくくりにして、言い換えます。

3 要約の仕方は何通りもあるよ！

今回の解答例は、何通りもある解答例の１つにすぎません。どの情報を削って、どの情報を残すかの判断は人それぞれ少しずつ違います。
本文を読みながら「大切な情報」と「そうでない情報」に分けたうえで、大切な情報は必ず残し、自分が書ける英語で表現しましょう。

4 すべての段落について書く

２級の要約では、必ず「すべての段落の内容」に触れましょう。
「第２段落までの内容を書きすぎて、第３段落の内容が書けない」なんてことのないように、各段落の大切な情報を入れこみます。

5 単語数の目安

要点がしぼれずに要約がうまくできないとついつい長い文章になってしまうことがあります。45 語～ 55 語は目安ですが、長くても 60 語前後に収めるようにしましょう。

どのくらい書けば、45 語～ 55 語に収まるのか、本書の練習問題で感覚をつかんでおこう

準備　問題　解答

STEP2 英文要約問題　構成のポイント

● 構成の評価ポイント

英文の構成や流れがわかりやすく論理的であるか

▶英文要約問題の「構成」で予想される評価項目です。

☑	第１段落→第２段落→第３段落の本文と同じ順序で展開している。
☑	要約された文だけを読んでも、理解できる論理展開になっている。
☑	文章をつなぐ「つなぎ言葉」が効果的に使われている。

● 書くときの注意点

1	無理に順序は変えません。基本的に本文での段落の順序で要約します。
2	書いた後に必ず読み直し、「意味がわかる英文」になっているか確認しましょう。各段落が要約できても、全体を通すと意味がわからない文章になることがあります。
3	要約の構成をハイレベルなものにする「つなぎ言葉」を使いましょう。

オリジナル予想問題②

When going to work or school, some people choose to take buses or trains. Others drive their own cars or get a ride from their family or friends. There are many ways to move around. However, many people prefer to ride their own bicycles or walk.

By choosing to ride their own bicycles or walk, people can stay healthy with exercising. They also do not need to pay extra costs, so they can save money. Using cars, buses or trains, can cost a lot of money.

On the other hand, riding a bike or walking is not a good option for everyone. It can take much more time if the destination is far away from where people are. In addition, people who have health problems may not be able to ride bicycles or walk. They choose safer ways to go out.

予想問題の日本語訳

仕事や学校へ行くとき、バスや電車に乗るのを選ぶ人がいる。自分の車を運転したり、家族や友だちに乗せてもらったりする人もいる。移動する手段はたくさんある。しかしながら、多くの人は自分の自転車に乗ったり、歩いたりすることの方が好きだ。

自分の自転車に乗ることや歩くことを選ぶことで、人々は運動して健康でいられる。また彼らは余計なお金を払う必要がないので、お金を節約できる。車やバスや電車を使うとお金がたくさんかかってしまう。

一方で、自転車に乗ることや歩くことはみんなにとって良い選択肢なわけではない。もしその人たちがいるところから目的地が遠いなら、ずっと多くの時間がかかってしまう。さらに、健康面の問題を抱えている人は、自転車に乗ったり、歩いたりできないかもしれない。彼らはより安全な外出方法を選ぶ。

① 英文要約問題の構成を見直してみよう

まずは日本語で考えよう。より良い「構成」にするために改善すべき点を書き込んでみよう！

遠くへ行きたい人や健康問題で苦しむ人は、自転車や徒歩を避ける。

多くの人は車やバスや電車を使うよりも、自転車や徒歩で移動する。

人は健康的にお金をかけずに移動できる。

この文章は、本文の大切な情報をすべてとらえられている。けれど、読んでみて意味がわかるかな？ 本文と読み比べて違和感の正体を突き止めよう

解答は次のページ

解答

遠くへ行きたい人や健康問題で苦しむ人は、自転車や徒歩を避ける。
→この内容は第3段落なので、最後に書こう。

多くの人は車やバスや電車を使うよりも、自転車や徒歩で移動する。
→この内容は第1段落なので、最初に書こう。

人は健康的にお金をかけずに移動できる
→この内容は第2段落なので、中盤に書こう。

並べかえてみると…

多くの人は車やバスや電車を使うよりも、自転車や徒歩で移動する。
★　人は健康的にお金をかけずに移動できる。
★　遠くへ行きたい人や健康問題で苦しむ人は、自転車や徒歩を避ける。

順序を入れ替えると、わかりやすくなったね。次は、本文の内容や表現をヒントに、★の部分につなぎ言葉を入れてみよう。得点UPが期待できるよ

②　つなぎ言葉（ディスコースマーカー）を入れよう

例文の★の部分に適切なつなぎ言葉を、下の表から選んで1つずつ入れよう。

便利な「つなぎ言葉（ディスコースマーカー）」一覧1

さらに	moreover / furthermore / in addition
これはなぜなら…だから	this is because ...
そうすることで	by doing so
このような方法で	in this way
しかしながら	however / yet
それにもかかわらず	nonetheless / nevertheless

解答

> 多くの人は車やバスや電車を使うよりも、自転車や徒歩で移動する。
> そうすることで、人は健康的にお金をかけずに移動できる。
> しかしながら、遠くへ行きたい人や健康問題で苦しむ人は、自転車や徒歩を避ける。

英文要約問題　「構成」のアドバイス

1　順序は本文のままで OK！

無理に順序を変える必要はありません。基本的に本文で出てきた段落の順序で要約しましょう。

2　書き終わったら、読み直そう！

要約で作った文章では、各段落の要約はできていても、全体を通すと意味がわからないときがあります。一度書き終わったら読み直して、意味のわかる英文になっているかを必ず確認しましょう。

3　効果的なつなぎ言葉を使おう！

「つなぎ言葉」は要約の構成をハイレベルなものにしてくれます。一覧表を参考にして、できるかぎり使いましょう。

便利な「つなぎ言葉（ディスコースマーカー）」一覧２

結果として	as a result
それゆえ	therefore
したがって、このように	thus
したがって	consequently
一方で	on the other hand
逆に	on the contrary

準備 問題 解答

STEP3 英文要約問題　語彙のポイント

● 語彙の評価ポイント

課題にふさわしい語彙を正しく使えているか

▶英文要約問題の「語彙」で予想される評価項目です。

☑	本文と同じ内容のままで、本文中と別の単語に置き換えられている。【英文要約問題のみ】
☑	スペルミスがほとんどない。
☑	４級程度の語彙（people, often, place, easy, difficult, must など）が適切に使用されている。
☑	３級程度の語彙（example, better, increase, agree, opportunity など）が適切に使用されている。
☑	準２級程度の語彙（moreover, environment, provide, mention など）が適切に使用されている。

ライティングの英文要約では、本文中の単語や表現を、同じ意味の別の単語や表現に書き換える「パラフレーズ」という技術が求められるよ

● 書くときの注意点

1	本文で使われている表現を、少し変えて書きましょう。【英文要約問題のみ】
2	スペルミス減らすために、あせらずに書きましょう。
3	採点する人が読める字で、ていねいに書きましょう。 a と u、v と r など、形の似たアルファベットの書き分けに注意。
4	枠の中に書きましょう。枠の外に書くと、スキャンされずに採点されません。
5	S-CBT のタイピング受験では、ふだんパソコンで使用している Word のように、スペルミスの自動修正や赤線によるお知らせはされません。自分がタイプした単語が合っているかを確認する必要があります。

オリジナル予想問題②

When going to work or school, some people choose to take buses or trains. Others drive their own cars or get a ride from their family or friends. There are many ways to move around. However, many people prefer to ride their own bicycles or walk.

By choosing to ride their own bicycles or walk, people can stay healthy with exercising. They also do not need to pay extra costs, so they can save money. Using cars, buses or trains, can cost a lot of money.

On the other hand, riding a bike or walking is not a good option for everyone. It can take much more time if the destination is far away from where people are. In addition, people who have health problems may not be able to ride bicycles or walk. They choose safer ways to go out.

パラフレーズ（単語の置き換え）をやってみよう！

以下の解答文の下線部を、それぞれ別の単語や表現に置き換えてみましょう。

Many people like using bicycles or walking better than using buses, trains, or cars.

This is because they can be healthy and save money.

On the other hand, if people want to go far or have health problems, they choose not to ride a bike or walk.

解答は次のページ

解答

Many people like using bicycles or walking better than using buses, trains, or cars.
public transportation（公共交通機関）

This is because they can be healthy and save money.
spend less（お金がよりかからない）

However / Yet（しかしながら）
On the other hand, if people want to go far or have health problems, they choose not to ride a bike or walk.

こうやって別の単語や表現に置き換えると高得点につながるよ

便利なパラフレーズリスト

1．名詞

car 車	➡	vehicle 車、乗り物	problem 問題	➡	issue 問題、課題
country 国	➡	nation 国、国家	clothes 服	➡	clothing 衣服

2．集合名詞

chairs, tables, beds, shelves, etc. イス、テーブル、ベッド、棚など	➡	furniture 家具
bags, suitcases, backpacks, etc. カバン、スーツケース、リュックサックなど	➡	baggage / luggage 荷物
vegetables, eggs, meat, salt, etc. 野菜、卵、肉、塩など	➡	ingredients 材料

START

3．動詞

choose	→	select	suggest	→	propose
を選ぶ		を選ぶ	を提案する		を提案する
insist	→	claim	join	→	participate in
だと主張する		だと主張する	に参加する		に参加する

英文要約問題　「語彙」のアドバイス

1　パラフレーズにチャレンジ！

英文要約問題で高得点を取る秘訣がパラフレーズ（言い換え）です。
本文に出てきた「簡単な単語」や「つなぎ言葉」を別の表現に置き換えると、評価が上がります。最初は難しく感じられますが、回数を重ねるうちにできるようになるので、頑張りましょう。またパラフレーズのリストも参考にしながら、パラフレーズできる表現を増やしていきます。

2　単語を書く練習をしよう！

単語を手で書いて練習するなんて「めんどくさい」と思うかもしれません。しかし、ライティングの語彙の点数を伸ばすには、書く練習が近道です。
周りに「パッと見ただけで、スペルを覚えられる人」がいませんか？　そういう人は、英語を学び始めたときにたくさん書いて、「スペルの細かい違い」にまで注意することに慣れている人です。
スペルを正確に覚えられない人は、今まで書く練習が不足していたのかもしれません。今がその「めんどくさいに立ち向かう時期」です。たくさん書いて覚えましょう。

解答例訳

多くの人がバスや電車や車を使うことよりも、自転車を使うことや徒歩が好きだ。これは彼らが健康になり、お金が節約できるからだ。
一方で、もし人々が遠くに行きたかったり、健康の問題を抱えていたりするなら、自転車に乗らないことや歩かないことを選ぶ。

GOAL

準備 問題 解答

STEP4 英文要約問題　文法のポイント

● 文法の評価ポイント

文構造のバリエーションやそれらを正しく使えているか

▶英文要約問題の「文法」で予想される評価項目です。

☑	複数の文法を使い分けている。
☑	４級程度の文法（三人称単数・複数形・過去形・進行形など）が適切に使用されている。
☑	３級程度の文法（助動詞・不定詞・動名詞・There 構文・比較・間接疑問文など）が適切に使用されている。
☑	準２級程度の文法（関係代名詞・関係副詞・知覚動詞・仮定法・強調構文など）が適切に使用されている。

ライティングでは、２級の語彙問題や文法問題、長文問題で扱われる「高校レベルの難しい文法」を無理して使う必要はありません

● 書くときの注意点

1	高校１年までに習う英文法に気をつけよう。 ２級のライティングでは、中学～高１レベルの復習が大切です。
2	ケアレスミスに注意。三人称単数の s や複数形の s をつけ忘れていたり、過去形にするのを忘れていたりすると、ライティングではケアレスミスで減点されやすいです。
3	関係代名詞や関係副詞、強調構文など使いやすい文法のパターンを事前に身につけておきましょう。

オリジナル予想問題①

When people want to have a healthy lifestyle, many of them like to go for long walks around their towns, cities, or neighborhoods. Others decide to join a sports team, like a local basketball or soccer team. Some people, however, choose to exercise at fitness centers.

What are some reasons for why people go to exercise centers? To start, fitness centers have machines for running, cycling, weight-lifting, and so on. In addition, people can get advice from staff members at these centers who have professional exercise experience, so they can learn how to exercise properly.

Nonetheless, membership programs at fitness centers can cost a lot of money. Furthermore, it may be difficult to exercise when the centers are too busy. Some people may not be able to use the facilities when these fitness centers become crowded with too many visitors.

間違いさがしにチャレンジ

以下の解答文の中には、「文法」のミスが３つあります。「間違い」だと思うところに線を引こう！

Some people like to exercise at fitness centers than to walk or play sports outside.

People choose to do so because fitness centers can use a variety of modern equipment and professional trainers.

On the other hand, by use fitness centers, they may have some disadvantages, such as having high membership costs and crowded gyms.

解答は次のページ

解答

Some people like to exercise at fitness centers than to walk or play sports outside.
better than

「〜よりも…を好む」というときは、like… better (more) than 〜を使おう。日本語で考えるとthanだけで十分と思いがちだけれど、英語では不十分なんだ

People choose to do so because fitness centers can use a variety of modern equipment and professional trainers.
have

この英文は、主語がfitness centers（無生物主語）だね。
日本語で「フィットネスセンターでは〜が使える」と考えると間違えやすい。
modern equipmentやprofessional trainersを利用する主語は、あくまでも「人」だ。
だから、この場合は「フィットネスセンターに〜がある」という意味にするためにhaveを使おう

On the other hand, by use fitness centers, they may have some disadvantages,
using

byの後は〜ing（動名詞）が正しい文法表現だね。原形不定詞などを学んでいると、「原形でよかったっけ？」と、昔覚えた知識があやふやになってくるので、復習が必要だね

such as having high membership costs and crowded gyms.

間違い探しをするつもりで見直しをすると結構ミスが見つけやすいよ

解答例訳

ある人たちは、外で歩くことやスポーツをすることよりも、フィットネスセンター（ジム）で運動することを好む。
人々がそうするのを選ぶのは、フィットネスセンターにはいろいろな種類の最新の器具やプロのトレーナーがいるからだ。
だが一方、フィットネスセンターを使うことで、人々は高い会費や混雑したジムというデメリットを被るかもしれない。

START

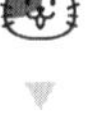

GOAL

英文要約問題　「文法」のアドバイス

1 一度書いたら読み直そう！

左の３つの文法ミスは、「英検」２級の学習者が間違えやすいものです。基本的な文法事項でも「書くときに注意できるか」が大切です。
中学文法だといって、あなどってはいけません。知っているのに、英文作成に注意が傾いてしまい、三単現のｓや複数形のｓを忘れることもよくあります。それらを発見するためにも、一度書いたら読み直すようにしましょう。

2 文法の基礎を復習しよう！

どうしても「英検」２級の文法勉強では難解なものに力を注ぎがちですが、ライティングでは中学文法と高校文法の基礎が大事。この機会に比較や受動態、関係代名詞や現在完了など、中学文法も含めてしっかり復習して、文法ミスのない英文作成を目指しましょう。

3 とにかく答えを書いてみよう！

ライティングの勉強はとにかく「めんどくさい」。でも、他と同じ 650 点です。リスニング力を伸ばすにはとにかく聞くことが大事なのと同じで、ライティング力は書かないことには身に付きません。

まずはこの後の練習問題にトライ！　とにかく書いて慣れてくると、自分の中で「答えの書き方のパターン」ができてきます。

「英文を書くこと」がライティング力を UP させるいちばんの方法だ！

レッスン1 英文要約問題①

実際に英文要約問題をやってみましょう。

- 以下の英文を読んで，その内容を英語で要約し，解答欄に記入しなさい。
- 語数の目安は 45 語～ 55 語です。
- 解答は，右側にある英文要約解答欄に書きなさい。なお，解答欄の外に書かれたものは採点されません。
- 解答が英文の要約になっていないと判断された場合は，0 点と採点されることがあります。 英文をよく読んでから答えてください。

When customers need to buy something, they often go to their local stores. Some of them like going to large shopping malls, since they can find everything that they need in one place. Nowadays though, many customers prefer doing all their shopping over the internet.

By shopping online, customers can easily buy anything they need from their own homes, so they don't need to spend extra time and money traveling anywhere. Moreover, they can compare prices on many different websites, so they can easily find the cheapest prices for various kinds of goods.

Even still, online shopping has some disadvantages. Customers cannot try out products before purchasing them. Some items, like shirts, shoes, or bags may need to be tried on first. Additionally, many products, such as fruits, meat, or fish, may only be available to buy in local stores.

START

英文要約解答欄

5

10

15

GOAL

レッスン1

解答例

第1パラグラフ

Recently, many people who need to buy something shop online

= Nowadays　= When customers need to buy something の言い換え

rather than at nearby stores or shopping malls.

問題文冒頭の When customers need to buy something を、many people who need to buy something と言い換えると、内容を大きく変えずに、難易度の少し高い文法「関係代名詞 (who)」が使える。
Nowadays を Recently に書き換えるのも高得点につながる

第2パラグラフ

By doing so, they can shop at home more conveniently.

=第1パラグラフの内容を指す　= customers can easily buy を言い換え

In addition, they can buy what they need at the lowest prices.

第1段落の内容を By doing so で表すのは、とても使えるテクニックだ。
また、第2段落後半の「簡単に買える」という内容を conveniently という難しい単語に置き換えることで英文のレベルを上げられる。
moreover は in addition にパラフレーズできるね

第3パラグラフ

On the other hand, online shoppers cannot wear clothes

つなぎ言葉(ディスコースマーカー)

beforehand or purchase products like fresh foods.

= such as fruits, meat, or fish, may only be available to buy の言い換え

第2段落までと逆のことを言っているので、逆接の on the other hand や however などのつなぎ言葉を使おう。
fruits や meat、fish をまとめて fresh foods とし、buy を purchase にパラフレーズしているのもポイント

【語数】 56 語

※55 語を少しオーバーしても OK。45 語～ 55 語は目安です。ただし、オーバーしすぎると要約ではなくなるので、できるだけ 60 語くらいに収めましょう。

問題文訳

※下線部は要約に使える部分の例

顧客が何かを買う必要があるとき、彼らはよく地元の店に出かける。大きなショッピングモールに行くのが好きな人がいる。なぜなら、彼らは1つの場所で彼らが必要なものをすべて見つけられるからだ。けれど、<u>最近では、多くの顧客はインターネット上ですべての買い物を済ませる方を好む。</u>

<u>オンラインショッピングをすることで顧客は自宅から彼らの必要なものをなんでもかんたんに買うことができる。</u>だから、彼らはムダな時間やお金をいろいろな場所に移動するために使う必要がない。さらに、彼らはたくさんの異なるウェブサイト上で値段を比べることができる。<u>だから、いろいろな種類の商品で、最も安い価格をかんたんに見つけることができる。</u>

それでも、オンラインショッピングはいくつかの欠点がある。顧客たちは製品を購入する前にそれらを試すことができない。<u>シャツやくつ、カバンのようないくつかの品物は、まず試してみる必要があるかもしれない。加えて、フルーツや肉、魚などの多くの商品は、地元のお店でしか買うことができないだろう。</u>

解答例訳

最近、何かを買う必要がある多くの人たちが近場のお店やショッピングモールで買い物するよりもオンラインで買い物をしている。
そうすることによって、彼らは家でもっと便利に買い物をすることができる。加えて、彼らは必要なものを最も低い価格で買うことができる。
一方で、オンラインで買い物をする人たちは事前に洋服を着ることや新鮮な食べ物のような商品を買うことができない。

レッスン2 英文要約問題②

実際に英文要約問題をやってみましょう。

- 以下の英文を読んで，その内容を英語で要約し，解答欄に記入しなさい。
- 語数の目安は 45 語～ 55 語です。
- 解答は，右側にある英文要約解答欄に書きなさい。なお，解答欄の外に書かれたものは採点されません。
- 解答が英文の要約になっていないと判断された場合は，0 点と採点されることがあります。英文をよく読んでから答えてください。

When people want to stay in touch with others, they sometimes call their friends or family members on the phone. Some people prefer to send emails instead. There are many different ways to contact other people. These days, many young people prefer using social media to communicate with others.

Why is social media so popular for young people? To start, people can easily send and receive messages using their smartphones. Also, people can share their messages with hundreds or even thousands of people instantly, so they can communicate with many people at the same time.

Nevertheless, there are many problems with social media. Online bullying is one common problem, in which some users will post mean or hurtful comments. Moreover, social media can be dangerous, as some users may post information like home addresses or phone numbers.

START

英文要約解答欄

5

10

15

GOAL

準備 問題 解答

レッスン 2

解答例

第1パラグラフ

Nowadays, the young like using social media to communicate with
= These days　　= young people

others better than calling on the phone or sending emails.
prefer A to B の言いかえ

比較級を使うのがポイント。第1段落の要点「若者はSNSをより好む」を押さえながら、比較対象の電話やメールについても要約できる。また、These days を Nowadays に、young people を the young に書き換えるのもポイントだ

第2パラグラフ

Through social media, users can easily use their smartphones to exchange messages with many other users quickly.
= send、receive、share messages を exchange にまとめる　　= instantly

2段落の内容「メッセージを送ったり、受け取ったり、シェアしたりする」は、exchange messages「メッセージを交換する」という表現に要約できるね。そして、instantly は quickly にパラフレーズできるよ

第3パラグラフ

However, social media has some risks, such as online bullying and having private personal information posted online.
= information like home addresses or phone numbers の言い換え．

今回のように具体例がいくつかある場合は、such as が使えるね。「自宅の住所や電話番号のような情報」は private personal information「個人情報」としてまとめてしまおう。そして、Nevertheless は However などにパラフレーズできるよ

【語数】54 語

START

GOAL

問題文訳

※下線部は要約に使える部分の例

人々は他の人と連絡を取っていたいとき、時々友だちや家族に電話をかける。代わりに、Eメールを送るのを好む人もいるだろう。他の人と連絡をとるのに、たくさんの異なる方法がある。最近では多くの若者は他の人とコミュニケーションを取るのにSNSを使うことをより好んでいる。

なぜSNSは若者にそんなに人気なのだろうか。まず、スマホを使って簡単にメッセージを送ったり、受け取ったりできる。また、何百または何千の人たちとすぐにメッセージをシェアできる。だから、彼らは多くの人と同時にコミュニケーションを取ることができるのだ。

それにもかかわらず、SNSには多くの問題がある。オンライン上のいじめが一つの一般的な問題だ。そこでは、何人かのユーザーが意地悪で人を傷つけるようなコメントを投稿する。さらに、SNSはユーザーが自宅の住所や電話番号のような情報を投稿するかもしれないので、危険になりうる。

解答例訳

最近、若者はだれかとコミュニケーションを取るのに、電話をかけたり、メールを送ったりするよりも、SNSを使うことの方を好む。
SNSを通じて、ユーザーはスマホを使って簡単にすばやく多くの他のユーザーたちとメッセージを交換することができる。
しかしながら、SNSはオンラインいじめや、オンラインで個人情報を投稿されるという危険をはらんでいる。

準備　問題　解答

STEP5 英作文問題　内容のポイント

● 内容の評価ポイント

課題で求められる内容（意見とそれに沿った理由）が含まれているかどうか

▶英作文問題の「内容」で予想される評価項目です。

☑	冒頭に書いた意見と 1 つ目の理由が合っている。
☑	冒頭に書いた意見と 2 つ目の理由が合っている。
☑	1 つ目の理由に、適切な具体例や詳細の説明がある。
☑	2 つ目の理由に、適切な具体例や詳細の説明がある。
☑	全体を通して意見や立場がブレていない。
☑	課題で求められている内容からずれていない。

● 書くときの注意点

1	意見はあなたのオリジナルである必要はありません。 ありふれた、ありきたりの意見で OK です。
2	あくまであなたの英語力を測るテストです。 あなたの思想や着眼点が問われる小論文や感想文ではありません。
3	正確な情報はなくて OK です。具体的な数字や正確なデータはなくても良いです。データを使うとしても不正確でかまいません。
4	論理としてズレがないかに注意しましょう。
5	提示された「3 つの POINTS」は使用しても、しなくてもかまいません。 自分の書きやすいポイントを 2 つ書くようにしましょう。

オリジナル予想問題

TOPIC : ***It is said that people today are healthier than before.***
Do you agree with this opinion?
POINTS : ***Medical development, Nutrition, Exercise***

最初にこの問題文で使われている語彙がわかるかが重要！　知らない単語が出てきたら、予測で答えるしかない。予測が外れると０点もあり得るので、ライティングでも「語彙力」がいちばん大事です！

間違いさがしにチャレンジ

まずは日本語で考えてみよう。「内容」の評価項目や注意点を踏まえて、「間違い」だと思うところ３か所に線を引こう！

私は、今の人々は昔よりも不健康だと思います。理由は２つあります。

まず、多くの人はファストフード店で不健康な

ジャンクフードを食べています。

でも、最近では、ファストフード店でも健康的な料理があります。

次に、私はあまり朝ごはんを食べません。

朝ごはんを食べないのは不健康だと思っています。

例えば、週に２回くらいパンを食べるだけです。

結論として、私はこれから毎日、朝ごはんを食べようと思います。

解答は次のページ

解答

問題文訳

現代の人々は昔より健康になったと言われます。
あなたはこの意見に賛成ですか？
ポイント：医療の進歩，栄養，運動

私は、今の人々は昔よりも不健康だと思います。理由は２つあります。

まず、多くの人はファストフード店で不健康な

ジャンクフードを食べています。

でも、最近では、ファストフード店でも健康的な料理があります。

ファストフードが不健康だというための具体例になっていない

次に、私はあまり朝ごはんを食べません。

トピックはpeople todayなので、理由として「私」の話は適切ではない。一般論を書こう

朝ごはんを食べないのは不健康だと思っています。

例えば、週に２回くらいパンを食べるだけです。

結論として、私はこれから毎日、朝ごはんを食べようと思います。

結論が、トピックの答えになっていない。「人々が昔より健康かどうか」について答えよう

英作文問題　「内容」のアドバイス

1 理由と具体例を、最初の意見につなげよう！

意見「現代の人々は昔より不健康だ」
理由①「ジャンクフードを食べている」
具体例「最近では健康的なジャンクフードもある」×

こうすればOK！

意見「現代の人々は昔より不健康だ」
理由①「ジャンクフードを食べている」
具体例「フライドポテトはあまり体に良くない」○

2 自分の経験談ではなく、一般論を書こう！

意見「現代の人々は昔より不健康だ」
理由②「私はあまり朝ごはんを食べない」

こうすればOK！

意見「現代の人々は昔より不健康だ」
理由②「多くの人が朝ごはんを食べない」

3 正確なデータは必要なし

レポートや小論文、ディベートなどなら、エビデンス（証拠）となるデータが必要です。しかし、これは英語の試験です。ファストフードがどれほど不健康なのか、その根拠となるデータを示す必要はありません。浅い知識でもかまわないので、知っていることを英語で書きましょう。

GOAL

準備　問題　解答

STEP6 英作文問題　構成のポイント

● 構成の評価ポイント

英文の構成や流れがわかりやすく論理的であるか

▶英作文問題の「構成」で予想される評価項目です。

☑	「トピックへの意見➡本論（理由）➡結論」の流れで書けている。
☑	本論の構成が「理由➡具体例・詳細」になっている。
☑	結論が冒頭の意見と同じ。立場や主張が変わっていない。
☑	First, Second, In addition, In conclusion のような「つなぎ言葉」が正しく使われている。
☑	結論が冒頭の意見のパラフレーズ（言い換え。同じ内容で表現を変えたもの）になっている。

● 書くときの注意点

1	英語のライティングでは、書く順番が次のように決まっています。 意見⇒理由①⇒理由②⇒結論 結論がないと減点対象のようです。よく忘れる人がいるので、必ず書くようにしましょう。
2	理由に「具体例」「詳細」を書きましょう。 ２級では、理由が２つあれば OK です。理由の部分には「具体例」や「詳細の説明」を書きましょう。
3	段落は分けなくてもかまいません。 ２級では段落分けは不要です。ただ、分けても OK です。慣れている方で書きましょう。

オリジナル予想問題

TOPIC : ***It is said that people today are healthier than before.***
Do you agree with this opinion?
POINTS : ***Medical development, Nutrition, Exercise***

間違いさがしにチャレンジ

まずは日本語で考えよう！　「構成」について「間違い」だと思うところ2か所に線を引こう！

私の意見では、今の人々は以前よりも健康です。このように考える理由

が２つあります。

まず、多くの現代人は、バランスの良い食事をしています。

例えば、オーガニック食品やサプリメントのおかげで、

食事の栄養バランスが整っています。

さらに、たくさんの人々が今までよりも良い医学療法を受けています。

最後に、最近はスポーツをする人が多くて、健康的です。

解答は次のページ

解答

問題文訳

現代の人々は昔より健康になったと言われます。
あなたはこの意見に賛成ですか？
ポイント：医療の進歩，栄養，運動

私の意見では、今の人々は以前よりも健康です。このように考える理由

が２つあります。

まず、多くの現代人は、バランスの良い食事をしています。

例えば、オーガニック食品やサプリメントのおかげで、

食事の栄養バランスが整っています。

さらに、たくさんの人々が今までよりも良い医学療法を受けています。

具体例または詳細がない

最後に、最近はスポーツをする人が多くて、健康的です。

３つ目の理由ではなく、【結論】が必要

英作文問題　「構成」のアドバイス

1 書き始める前に、意見と理由を考えよう！

意見「今の人は健康だ（賛成）」
理由①「健康に良い物を食べている」
理由②「より良い医療を受けている」

理由は2つ。
3つ思い浮かんだら、英語で書きやすい2つを選ぼう

2 それぞれの理由に付け加える具体例や詳細を考えよう！

点数を伸ばすには、具体例や詳細が不可欠です。「当たり前のこと」や「誰もが知っていること」でもいいので、きちんと説明をしましょう。

理由①「健康に良い物を食べている」→**詳細**　科学技術のおかげ
理由②「より良い医療を受けている」→**具体例**　病院の数が昔より多い

3 結論を忘れずに書こう！

結論では、最初に書いた意見と同じ内容を書きます。新しいことは必要ありません。同じ意味でも表現や単語を変えて言い換えると、ポイントアップにつながります。

4 単語数は当日数える必要はなし。練習のときに数えて感覚をつかもう！

当日は時間との勝負です。単語数を数えているひまなんてありません。その時間があれば、早く他のリーディング問題に移りましょう。
でも、何単語書けたかは気になりますよね？　ここのアドバイス通りに「最初の意見」「理由①と具体例」「理由②と具体例」「結論」と書いたら、80語～100語に収まるはずです。練習のときに数えてみましょう。

必ずしも80語～100語に収めなくてもOK。少し足りなかったり、少しオーバーしたりしても大丈夫です

準備 問題 解答

STEP7 英作文問題　語彙・文法のポイント

● 語彙の評価ポイント

英作文問題の語彙の評価ポイントは英文要約問題とほぼ同じ
英作文でも間違いさがしをしてみましょう。

オリジナル予想問題

Some people say that more local food and products should be bought and consumed by locals. Do you agree with this opinion?

間違いさがしにチャレンジ

以下の解答文には、スペルのミスが5か所あります。間違いだと思うところに線を引こう

No, I don't. I think that buying local products can couse several problems.

First, they are usually more expencive.

This means that people will get less for their money if they buy locally than if they buy goods from other places.

Second, if everyone shopped locally, it could lead to some people loseing their jobs.

For example, truck drivers who deriver food and other products from far away would not be needed if people got most of what they needed locally.

For these two reazons, I don't think that local people need to buy more goods that were produced nearby.

解答は52ページ

● 文法の評価ポイント

英作文問題の文法の評価ポイントも英文要約問題とほぼ同じ
しかし使用できる文法レベルが少し上がります。英作文でも間違いさがしをしてみましょう。

オリジナル予想問題

It is said that people today are healthier than before. Do you agree with this opinion?

間違いさがしにチャレンジ

以下の解答文には、文法のミスが5か所あります。間違いだと思うところに線を引こう

In my opinion, people today are healthier than before. I have two reasons why I think this way.

First, most people these day have well-balanced meals, such as organic foods.

Thanks to new technology, modern people can have the most healthy diet in history.

Moreover, many people receive better medical treatment that ever.

For instance, the number of the hospitals and doctors today are the biggest in history.

Therefore, they can treat in the hospital more easily and commonly.

In conclusion, I believe that the people who live in this century are spending the healthiest life in human history.

解答は53ページ

解答

問題文訳

地元の食品や製品は、もっと地元の人たちによって購入されたり、消費されたりするべきだと言う人がいます。あなたはこの意見に賛成ですか？

No, I don't. I think that buying local products can ~~couse~~ several problems.
cause
auでオーという発音になるよ

First, they are usually more ~~expencive~~.
expensive
cとsは間違いやすいね

This means that people will get less for their money if they buy locally than if they buy goods from other places.

Second, if everyone shopped locally, it could lead to some people ~~loseing~~ their jobs.
losing
ingを付けるとき、最後のeは取ろう

deliver
lとrも間違いやすいね
For example, truck drivers who ~~deriver~~ food and other products from far away would not be needed if people got most of what they needed locally.

reasons
sとzも要注意だ
For these two ~~reazons~~, I don't think that local people need to buy more goods that were produced nearby.

いくつ気づきましたか？
カタカナ発音と異なるスペルに気をつけてね

解答

問題文訳

現代の人々は昔より健康になったと言われます。
あなたはこの意見に賛成ですか？

In my opinion, people today are healthier than before. I have two reasons why I think this way.

First, most people ~~these day~~ **these days** have well-balanced meals, such as organic foods.

these days で「最近」という意味。シンプルに複数形に注意

Thanks to new technology, modern people can have ~~the most healthy~~ **the healthiest** diet in history.

healthy は healthier – healthiest と変化する。基本的に2音節までの形容詞・副詞には more – most は付けない

Moreover, many people receive better medical treatment ~~that~~ **than** ever.

比較級 + than ever で「これまでよりも」という意味になる

For instance, the number of the hospitals and doctors today ~~are~~ **is** the biggest in history.

主語が複数形と勘違いしやすいけれど、the number に合わせて、be 動詞は is が正解

Therefore, they can ~~treat~~ **be treated** in the hospital more easily and commonly.

ここでの they は many people のことなので、can be treated（受動態）が適切

In conclusion, I believe that the people who live in this century are spending the healthiest life in human history.

いくつ気づきましたか？
この機会に文法を復習してみよう

準備　問題　解答

レッスン3 英作文問題①

実際に英作文問題をやってみましょう。

- 以下の **TOPIC** について，あなたの意見とその理由を 2 つ書きなさい。
- **POINTS** は理由を書く際の参考となる観点を示したものです。ただし，これら以外の観点から理由を書いてもかまいません。
- 語数の目安は 80 語～ 100 語です。
- 解答は，右側にある英作文解答欄に書きなさい。なお，実際の試験では解答欄の外に書かれたものは採点されません。
- 解答が **TOPIC** に示された問いの答えになっていない場合や，**TOPIC** からずれていると判断された場合は，0 点と採点されることがあります。**TOPIC** の内容をよく読んでから答えてください。

TOPIC

Some people say that more people in Japan should live in the countryside. Do you agree with this opinion?

POINTS

- ***Population***
- ***Convenience***
- ***Finance***

START

英作文解答欄

5

10

15

GOAL

準備 問題 **解答**

レッスン 3

問題文訳

日本ではもっと多くの人々が地方に住むべきだという人々がいます。あなたはこの意見に賛成ですか？

解答例

I agree with this opinion. I have two reasons why I think so.

意見：賛成か反対かを示す

First, too many people live in urban areas, such as Tokyo and Osaka.

1つ目の理由「東京や大阪などの都会に住む人が多すぎる」

For instance, stations, buildings and streets are always too crowded. Therefore, more people should move to the countryside in other prefectures.

1つ目の理由の具体例・補足

Second, the economy in rural areas should be revived by increasing population.

rural：田舎の　revived：よみがえる

2つ目の理由「地方経済は人口増加によって復活させるべきだ」

Japan suffers from the problems of economies in rural areas that have been getting smaller and smaller. It should be solved as soon as possible.

suffers from：〜で悩む

2つ目の理由の補足

In conclusion, more people should move to the countryside in Japan in order to make Japanese economy more lively. I believe this can be realized in the future.

結論
課題文の should live を、should move to に言い換えているのがポイント

【語数】 112 語

※語数は 100 語をオーバーしてもかまいません。
80 ～ 100 語はあくまで目安です。

アドバイス

1 とにかく英文を書くこと

実際に英文を書かずに解答例を見るだけで、できるようになった気になっていませんか？ ライティング対策はめんどうに感じる人が多く、ついつい後回しになってしまいがちですが、合格のためには、「英文を書くこと」に慣れるのが大事です。

答えだけ先に見てしまった人も、次の問題はぜひ実際に書いてみてください

2 キーフレーズを書けるようにすること

自分で気に入ったフレーズをいくつか覚えておき、スペルミスなく確実に書けるように練習しておきましょう。

今回であれば、I have two reasons why I think so. や It should be solved as soon as possible.、I believe it can be realized in the future. などはいろいろなトピックに使えるキーフレーズです

解答例訳

私はこの意見に賛成です。私がそう考える理由は２つあります。
まず，東京や大阪のような都会の地域には，多くの人が住みすぎです。
例えば，駅やビル，通りはいつも混雑しすぎています。それゆえ，もっと多くの人が他の県の田舎に引っ越すべきだと思います。
第２に，地方の経済は人口を増やすことで再活性化されるべきです。
日本は地方の経済がどんどん小さくなっているという問題に悩まされています。それは可能な限り早く解決されるべきです。
結論として，日本の経済をより元気にするために，より多くの人が日本の田舎に引っ越すべきです。私は将来，それが実現されると信じています。

準備 問題 解答

レッスン4 英作文問題②

実際に英作文問題をやってみましょう。

- 以下の **TOPIC** について，あなたの意見とその理由を 2 つ書きなさい。
- **POINTS** は理由を書く際の参考となる観点を示したものです。ただし，これら以外の観点から理由を書いてもかまいません。
- 語数の目安は 80 語～ 100 語です。
- 解答は，右側にある英作文解答欄に書きなさい。なお，実際の試験では解答欄の外に書かれたものは採点されません。
- 解答が **TOPIC** に示された問いの答えになっていない場合や，**TOPIC** からずれていると判断された場合は，0 点と採点されることがあります。**TOPIC** の内容をよく読んでから答えてください。

TOPIC

Today, in Japan, some companies open stores with no staff, using AI technology. Do you think it is a good idea?

POINTS

- ***Security***
- ***Convenience***
- ***Labor shortage***

英作文解答欄

5

10

15

準備 問題 **解答**

レッスン4

問題文訳

今日，日本では，AI テクノロジーを使って，従業員のいないお店を開く会社があります。あなたはこれを良い考えだと思いますか？

解答例

I think it is a good idea that some companies open stores with no staff, using AI technology. I have two reasons why I think this way.

意見：賛成か反対かを示す

First, there are fewer workers in Japan than before. The labor shortage is one of the biggest issues nowadays.

1つ目の理由「日本の労働人口は減っている」

Stores with no staff could be a good solution which can solve this social problem.

1つ目の理由の補足

Second, such stores make it easy for people to buy some goods.

2つ目の理由「人々にとってかんたんに買い物できる」

They are generally equipped (設備がある) with automatic electronic payment system (自動電子決済システム) and product sensors. This futuristic system makes our life much more convenient than ever.

2つ目の理由の補足

As I mentioned before, opening stores without staff is a good idea.

結論
課題文の some companies open stores with no staff を、opening stores without staff に言い換えているのがポイント

【語数】108 語

※語数は 100 語をオーバーしてもかまいません。
80 語～ 100 語はあくまで目安です。

アドバイス

1 メリットならメリット、デメリットならデメリットだけを考える

当然、物事には良い面と悪い面があるので、頭にその両方が浮かんでくることもあるでしょう。でも、**メリットの方を書く場合は、とことんメリットだけを挙げます。**

無人販売店の普及によって、「仕事が減る」とか「店員がいないと危険」などのデメリットが挙げられますが、無人店のメリットを書くと決めたなら、メリットだけを考えるようにしましょう。

思い付いたアイディアの中で、いちばん英語で理由を説明しやすいものを書きましょう

解答例訳

私はいくつかの会社がAIテクノロジーを使って従業員のいないお店を開くのは良い考えだと思います。なぜこのように考えるのか，２つの理由があります。
まず，日本では働き手が以前より少ないです。
労働力不足は最近の最も大きな問題の１つです。
店員のいないお店がこの社会問題を解決する良い解決法になるでしょう。
第二に，そのようなお店は人々にとって簡単に商品を買うことができます。
それらの店は一般的に自動電子決済システムと商品センサーを備えています。
この近未来のシステムは私たちの生活を今までよりもずっと便利にしてくれます。
私は上記で述べたように，従業員のいないお店を開くのは良い考えだと思います。

第2章

リーディング

READING

英検 2級

リーディング　心得

1　はじめに

リーディングは、なんといっても語彙力がいちばん大切です。2級で出題される単語は約5000語と言われていて、準2級と比べて約1500語も増えます。5000語は、高校3年生までに習う単語数とほぼ同じです。

準2級で出てくる単語数　：約3500語
2級で出てくる単語数　　：約5000語
1500語増える！

試験時間はリーディングとライティングで85分間。目安は、ライティング35分間＋リーディング50分間。このリーディングでは50分間で大量の問題を解くスピードと、50分間も英語を読み続ける「集中力」と「慣れ」が求められます。

2　パート1　短文の語句空所補充（約17問）

単語問題	約10問
熟語問題	約7問

いちばん語彙力が求められるパートです。4択とはいえ運任せでは点が取れません。まずは、選択肢の2つか3つはわかるように、暗記をがんばりましょう

単語問題約10問は名詞と動詞が中心。形容詞と副詞も少し出ます。

熟語問題は約7問出ます。この熟語の多さが2級の特徴で、このパート1のカギです。2級では熟語から勉強してもよいくらい重要です。「go for it：がんばれ」「hang up：（電話）を切る」のように、ひと目では意味がとらえにくい熟語がよく出てきます。見慣れた単語の組み合わせと甘く見ずに、単語と同じように、しっかりと時間をかけて覚えましょう。

文法問題は2024年の試験リニューアルで出題されなくなりました。

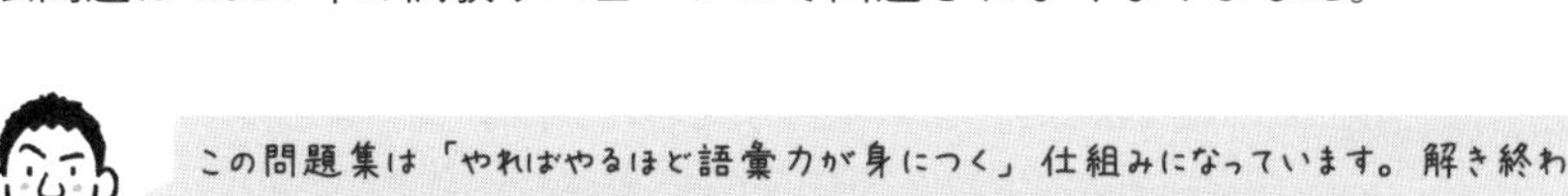

3　パート2　長文の語句空所補充（約6問）

このパートでは（　　）の後ろに続く文章まで読むのがポイントです。前後の文脈を把握し、適切な語句を選びましょう。

大事そうなところだけを読んで解ける問題ではありません。段落ごとの文脈と、本文全体の文脈を把握した上で、解く必要があります。

2級の読解問題の中では英文は短い方です。2級に合格するためには、まずはこの長さの長文を読み切る集中力が必要です。このパートが「短い」「かんたん」と感じることができるように、本書で長文読解力を鍛えてください。

4　パート3　長文の内容一致選択（約8問）

長文読解は配点が高いのが特徴です。かつて配点が公表されていた頃は、パート3は他のパートの2倍の配点でした。現在は非公表ですが、2倍近い配点だと予想されます。その分、長くて難しい文章が出されます。

設問文を先に読み、その答えを探すように読む「スキャニング」という技術を使えば、全部を読む必要はありません。英検の長文読解はほとんどの問題が段落ごとに設定されているため、順番通りに読んでいくことができます。

長い英文を読む集中力が不足していると、「裏技」のようなテクニックを求めがちです。しかし、速く正確な英文読解力は、かんたんには手に入りません。ふだんから授業や自習、習い事などで、どれだけ英文を読み慣れているかが問われます。それができていない人は、ぜひこの後の本書のレッスンでしっかり鍛えてください。

START
GOAL

準備 問題 解答

レッスン1 名詞・形容詞 よく出る単語

このページを覚えてから問題を解こう。上級者ならこのページを見ずに解こう。

01

abrupt	形	突然の
accurate	形	正確な
alternative	形	代わりの，代替の
ambitious	形	野心のある
angry	形	怒った
attraction	名	魅力
author	名	作家
basement	名	地下
boss	名	上司
branch	名	枝
burden	名	重荷，負担
capable	形	～する能力がある
cheerful	形	元気のいい
climate	名	気候
confident	形	自信のある
conscious	形	意識している
crowded	形	混雑している
curious	形	好奇心旺盛な
customer	名	（店などの）顧客
deep	形	深い
delicate	形	繊細な
distinction	名	区別
efficient	形	効率的な
emergency	名	緊急
emotional	形	感情的な
exhibit	名	展示品
expense	名	費用，出費
experiment	名	実験
expert	名	専門家
extinct	形	絶滅した

START

GOAL

flexible	形	柔軟な
fluent	形	流ちょうな
general	形	一般的な
guest	名	(招かれた)客
guilty	形	有罪の
humidity	名	湿気
imaginary	形	想像上の
impact	名	衝撃
ingredient	名	材料
investment	名	投資
legend	名	伝説
magnificent	形	壮大な
novel	名	小説
offensive	形	攻撃的な
opponent	名	対戦相手

opportunity	名	機会
poverty	名	貧困
property	名	所有物
scientific	形	科学の
situation	名	状況
solution	名	解決策
suspicious	形	疑わしい
symptom	名	兆候，症状
talented	形	才能豊かな
tough	形	丈夫な
treatment	名	治療
trial	名	裁判
typical	形	典型的な
upset	形	気が動転して
urban	形	都会の

レッスン1 名詞・形容詞

次の(1)～(10)までの（　　）に入れるのに最も適切なものを 1，2，3，4 の中から 1 つ選び，その番号を○で囲みなさい。

(1) If you want to live in the (　　) area, West Street is the best place to live.

1 confident　2 urban
3 accurate　4 extinct

(2) Charlotte read a novel written by Beth Miller and now she is (　　) about the author.

1 curious　2 flexible
3 ambitious　4 tough

(3) We will get an opportunity to ask questions to the (　　) who have studied data science.

1 customers　2 guests
3 experts　4 experiments

(4) Not having enough time, we must find the most (　　) way to solve this problem.

1 typical　2 efficient
3 delicate　4 crowded

(5) I saw Emily after a long time. She looked as (　　) as ever.

1 cheerful　2 general
3 conscious　4 scientific

6 I wish I could be more calm during an (　　　).

1 ingredient　　2 opponent
3 emergency　　4 exhibit

7 In preserving this valuable art piece, controlling (　　　) is quite important.

1 climate　　2 humidity
3 expense　　4 treatment

8 Little did I think about an (　　　) way to deal with this problem.

1 alternative　　2 emotional
3 abrupt　　4 imaginary

9 Her talented mother had been a (　　　) on her when she lived with her, so she started to live on her own.

1 symptom　　2 legend
3 burden　　4 property

10 Our boss is now looking for a person who is (　　　) of managing several projects.

1 fluent　　2 offensive
3 magnificent　　4 capable

名詞・動詞・形容詞・副詞などに分かれて出題されます。(　　) の後の内容に注意しましょう!

レッスン 1

1 If you want to live in the (urban) area, West Street is the best place [to live].

もしあなたが都会に住みたいなら，ウエストストリートは住むのに最適の場所だ。

1 confident 自信のある
2 urban 都会の
3 accurate 正確な
4 extinct 絶滅した

2 Charlotte read a novel [written by Beth Miller] and now she is (curious) about the author.

シャーロットはベス・ミラーによって書かれた小説を読んで，今，その作家について知りたがっている。

1 curious 好奇心旺盛な，知りたがっている
2 flexible 柔軟な
3 ambitious 野心のある
4 tough 丈夫な

3 We will get an opportunity [to ask questions to the (experts) [who have studied data science]].

私たちはデータサイエンスを研究している専門家に質問する機会があるだろう。

1 customers （店などの）顧客
2 guests （招かれた）客
3 experts 専門家
4 experiments 実験

分詞構文

4 Not having enough time, we must find the most (efficient) way [to solve this problem].

十分な時間がないので，私たちはこの問題を解決するための最も効率的なやり方を見つけなければならない。

1 typical 典型的な
2 efficient 効率的な
3 delicate 繊細な
4 crowded 混雑している

5 I saw Emily after a long time. She looked as (cheerful) as ever.

久しぶりにエミリーに会った。彼女は相変わらず元気そうだった。

1 cheerful 元気のいい
2 general 一般的な
3 conscious 意識している
4 scientific 科学の

仮定法

6 I wish I could be more calm during an (emergency).

緊急時にもっと冷静になれたらなあ。

1 ingredient　材料　　2 opponent　対戦相手，敵
3 emergency　緊急　　4 exhibit　展示品

7 In preserving this valuable art piece, controlling (humidity) is quite important.

この貴重な美術品を保存するときには，湿度をコントロールすることが非常に重要だ。

1 climate　気候　　**2 humidity　湿度**
3 expense　費用　　4 treatment　治療

倒置

8 Little did I think about an (alternative) way [to deal with this problem].

この問題に対処する代わりの方法について，私はほとんど考えなかった。

1 alternative　代わりの，代替の　　2 emotional　感情的な
3 abrupt　突然の　　4 imaginary　想像上の

9 Her talented mother had been a (burden) on her when she lived with her, so she started to live on her own.

才能豊かな母親は同居していると負担になったので，彼女は1人暮らしを始めた。

1 symptom　兆候　　2 legend　伝説
3 burden　負担，重荷　　4 property　所有物

10 Our boss is now looking for a person [who is (capable) of managing several projects].

私たちの上司は今，いくつかのプロジェクトを管理する能力がある人物を探している。

1 fluent　流ちょうな　　2 offensive　攻撃的な
3 magnificent　壮大な　　**4 capable　(be capable of) ～の能力がある**

準備 > 問題 > 解答

レッスン2 動詞・副詞 よく出る単語

このページを覚えてから問題を解こう。上級者ならこのページを見ずに解こう。

02

accept	動	受け入れる
admit	動	～を認める
afford	動	～を買う余裕がある
altogether	副	全く，完全に
approximately	副	およそ
argue	動	言い争う
behave	動	振る舞う
besides	副	さらに
calculate	動	～を計算する
closely	副	接近して，入念に
compete	動	競争する
completely	副	全くの，完全な
confirm	動	～を確認する
construct	動	～を建設する
cure	動	治る，～を治す

desire	動	～を強く望む
dig	動	～を掘る
distinguish	動	区別する
engage	動	～に従事させる
evaluate	動	～を評価する
fairly	副	かなり
follow	動	～に続く，従う
frequently	副	しばしば，たびたび
further	副	さらに遠く，それ以上に
handle	動	～を扱う
hardly	副	ほとんど～ない
hesitate	動	ためらう
indicate	動	～を示す
insult	動	～を侮辱（ぶじょく）する
justify	動	～を正当化する

START

locally	副	地元で
mainly	副	主に
nearly	副	ほぼ
normally	副	通常は
observe	動	～を観察する
obtain	動	～を獲得する
offer	動	～を提供する
originally	副	もともとは
overlook	動	～を見落とす
pass	動	～に合格する
persuade	動	～を説得する
politely	副	ていねいに
predict	動	～を予言する
prevent	動	～を防ぐ
rapidly	副	急速に

rarely	副	めったに～ない
realize	動	～を実現する
register	動	～を登録する
resign	動	辞任する
respond	動	～に答える
seldom	副	ほとんど～ない
select	動	～を選択する
shortly	副	まもなく
suffer	動	苦しむ
survive	動	生き残る
suspend	動	～を一時停止する
therefore	副	それゆえに
thus	副	このように
vanish	動	消滅する
vote	動	投票する

GOAL

レッスン2 動詞・副詞

次の(1)～(10)までの（　　）に入れるのに最も適切なものを 1，2，3，4 の中から 1 つ選び，その番号を○で囲みなさい。

1 Gavin is a good athlete who can (　　) at a world level.

1 compete　　2 follow
3 afford　　4 accept

2 I can't believe it has been (　　) 10 years since I graduated from high school.

1 nearly　　2 locally
3 originally　　4 normally

3 Samuel studies hard to become a doctor as he wants to help people (　　) from heart diseases.

1 arguing　　2 preventing
3 suffering　　4 curing

4 To (　　) him to come to the party is as hard as to teach your dog how to speak.

1 survive　　2 hesitate
3 handle　　4 persuade

5 Kate's dream is to construct a facility in which small children can (　　) the stars and the planets.

1 observe　　2 select
3 respond　　4 obtain

START

6 (　　　) after takeoff from London, the cabin crew started to offer drinks for the passengers.

1 Further　　2 Hardly
3 Shortly　　4 Closely

7 It is (　　　) common in this country to learn more than two languages.

1 fairly　　2 rapidly
3 politely　　4 approximately

8 When you read essays, you must have the ability to (　　　) facts from opinions to understand them thoroughly.

1 engage　　2 justify
3 indicate　　4 distinguish

9 Janet has lots of abilities. She passed the math exam in the first place. (　　　), she won the first prize at the piano contest.

1 Seldom　　2 Altogether
3 Besides　　4 Thus

10 If more young people had (　　　), Mr. Lewis would not have been chosen as a mayor.

1 suspended　　2 voted
3 resigned　　4 evaluated

4択の英単語の意味が全部わかるレベルに到達するには、かなり時間がかかります。まずは4つ中2つ、3つはわかるようになること。選択肢をしぼれるのも立派な語彙力です

GOAL

レッスン 2

1 Gavin is a good athlete [who can (compete) at a world level].

ギャビンは世界レベルで競うことができる良い選手だ。

1 compete 競争する
2 follow ～に続く
3 afford ～を買う余裕がある
4 accept 受け入れる

2 I can't believe it has been (nearly) 10 years since I graduated from high school.

高校を卒業してからほぼ10年経つなんて，信じられない。

1 nearly ほぼ
2 locally 地元で
3 originally もともとは
4 normally 通常は

3 Samuel studies hard to become a doctor as he wants to help people [(suffering) from heart diseases].

サミュエルは心臓の病気で苦しむ人たちを助けたいので，医者になるために一生懸命勉強している。

1 arguing 言い争う
2 preventing ～を防ぐ
3 suffering (suffer from ～) ～で苦しむ
4 curing 治る

4 [To (persuade) him to come to the party] is as hard as [to teach your dog how to speak].

彼を説得してパーティーに来させるのは，あなたのイヌに話し方を教えるのと同じくらい大変なことだよ。

1 survive 生き残る
2 hesitate ためらう
3 handle ～を扱う
4 persuade ～を説得する

5 Kate's dream is to construct a facility [in which small children can (observe) the stars and the planets].

ケイトの夢は，小さな子どもたちが星や惑星を観察できる施設を作ることだ。

1 observe ～を観察する
2 select ～を選択する
3 respond ～に答える
4 obtain ～を獲得する

START

6 (Shortly) after takeoff from London, the cabin crew started to offer drinks for the passengers.

ロンドン離陸直後，客室乗務員が乗客に飲み物を提供しはじめた。

1 Further　さらに遠くに
2 Hardly　ほとんど～ない
3 Shortly　まもなく
4 Closely　接近して，入念に

強調構文

7 It is (fairly) common in this country [to learn more than two languages].

この国では，2つ以上の言語を学ぶことがかなり一般的である。

1 fairly　かなり
2 rapidly　急速に
3 politely　ていねいに
4 approximately　およそ

8 When you read essays, you must have the ability [to (distinguish) facts from opinions] to understand them thoroughly.

論文を読むときは，十分に理解するためには事実と意見を区別する能力を持つ必要がある。

1 engage　～に従事させる
2 justify　～を正当化する
3 indicate　～を示す
4 distinguish　～を区別する

9 Janet has lots of abilities. She passed the math exam in the first place. (Besides), she won the first prize at the piano contest.

ジャネットはたくさんの能力を持っている。彼女は数学の試験に1位で合格した。さらに，ピアノコンクールでは1等賞をとった。

1 Seldom　ほとんど～ない
2 Altogether　全く，完全に
3 Besides　さらに
4 Thus　このように，したがって

仮定法

10 If more young people had (voted), Mr. Lewis would not have been chosen as a mayor.

もっと多くの若者が投票していたら，ルイス氏は市長に選ばれなかっただろう。

1 suspended　～を一時停止する
2 voted　投票する
3 resigned　辞任する
4 evaluated　～を評価する

GOAL

レッスン3 熟語 よく出る表現

このページを覚えてから問題を解こう。上級者ならこのページを見ずに解こう。

03

after all	結局	call off ～	～を中止する
all the more	いっそう	come out	現れる
as follows	次の通り	cope with	うまく処理する
at a time	一度に	drop in	立ち寄る
at large	つかまらずに自由で	except for ～	～を除いて
at least	少なくとも	far from ～	～から遠くに
at most	多くても	for long	長い間
at random	無作為に	for sure	確実に
back and forth	前後に	for the time being	しばらくの間
behind schedule	予定より遅れて	get over ～	～を克服する
break up	終わる	get used to ～	～に慣れる
bring back ～	～を思い出させる	give rise to ～	～を引き起こす
by contrast	それに反して	go into ～	～を説明する
by nature	生まれつき，もともと	go with ～	～と調和する
call in ～	～を呼ぶ	have nothing	何も持っていない

START

GOAL

in addition to ~	～に加えて
in charge of ~	～を担当して
in honor of ~	～に敬意を表して
in person	直接，自分で
in progress	進行中
in return for ~	～のお返しに
in shape	良い調子で
in vain	むだに
insist on ~	～を主張する
keep off from ~	～から離れる
know better than to ~	～するほどバカでない
long for ~	～を望む
look over ~	～を調べる
major in ~	～を専攻する
make fun of ~	～をからかう

on account of ~	～の理由で
on behalf of ~	～を代表して
out of date	時代遅れの
owing to ~	～のため，～が原因で
point out	指摘する
put up with ~	～を我慢する
rather than ~	～よりむしろ
rule out ~	～を除外する
run into ~	～に偶然出会う
sell out ~	～を売り切る
set off	出発する
still more	なおさら
thanks to ~	～のおかげで
to the point of ~	(程度などが)～まで
up to ~	～まで、最大～まで

準備 ＞ 問題 ＞ 解答

レッスン3 熟語

次の⑴～⑽までの（　　）に入れるのに最も適切なものを 1, 2, 3, 4 の中から 1 つ選び，その番号を○で囲みなさい。

1 I (　　) Ms. Evans on the way to the library last Wednesday.

1 ran into　　2 insisted on
3 set off　　4 majored in

2 Our brass band is going to work on the same piece of music for (　　) 4 weeks.

1 at large　　2 at random
3 at least　　4 at a time

3 Mr. Cox is the employee who is (　　) the sales department.

1 all the more　　2 in honor of
3 still more　　4 in charge of

4 My grandmother, who will be 70 years old next month, wants to keep on working (　　) retire.

1 rather than　　2 for sure
3 except for　　4 at most

5 Using smartphones in this area of the factory will be prohibited (　　).

1 behind schedule　　2 back and forth
3 for the time being　　4 out of date

動詞や形容詞と前置詞（of, out, in, on, with など）との組み合わせが決まっているので、そのセットをしっかり覚えましょう

6 I believe that my sister (　　　) to ignore what she is told to do.

1 knows better than　　2 gives rise

3 gets used　　4 has nothing

7 (　　　) our team, I apologize for the delay in delivering the products.

1 In addition to　　2 In return for

3 On behalf of　　4 On account of

8 You had better stop (　　　) him, or you'll be expelled from school.

1 coping with　　2 making fun of

3 putting up with　　4 keeping off from

9 Josh is very quiet (　　　), but he will never be part of anything that goes against his beliefs.

1 after all　　2 in shape

3 as follows　　4 by nature

10 If the accident had not occurred, I could have seen Tylor (　　　).

1 in progress　　2 by contrast

3 in person　　4 for long

「単語はなんとか覚えられても、熟語は全然覚えられない」という人、実はとても多いんです。しかし、熟語は英語のとても大切な要素です。見たことがある単語の組み合わせでも、新しい単語と同じだと思って覚えるのがコツです

レッスン 3

1 I (ran into) Ms. Evans on the way to the library last Wednesday.

この前の水曜日，図書館に行く途中でエバンスさんに偶然出会った。

1 ran into ～に偶然出会った 2 insisted on ～を主張した
3 set off 出発した 4 majored in ～を専攻した

2 Our brass band is going to work on the same piece of music for (at least) 4 weeks.

私たちの吹奏楽部は，同じ曲を最低でも4週間取り組むことにしている。

1 at large つかまらずに自由で 2 at random ランダムに
3 at least 少なくとも 4 at a time 一度に

3 Mr. Cox is the employee [who is (in charge of) the sales department].

コックス氏は，営業部門を担当している社員である。

1 all the more いっそう 2 in honor of ～に敬意を表して
3 still more ～はなおさら **4 in charge of ～担当の**

関係代名詞の非制限用法

4 My grandmother [, who will be 70 years old next month,] wants to keep on working (rather than) retire.

私の祖母は来月で70歳になるが，退職するよりむしろ働き続けたいと考えている。

1 rather than ～よりむしろ 2 for sure 確実に
3 except for ～を除いて 4 at most 多くても

5 [Using smartphones in this area of the factory] will be prohibited (for the time being).

しばらくの間，工場内のこのエリアでのスマートフォンの使用は禁止とさせていただきます。

1 behind schedule 予定より遅れて 2 back and forth 前後に
3 for the time being しばらくの間 4 out of date 時代遅れの

START

6 I believe 〈that my sister (**knows better than**) to ignore what [she is told to do]〉.

妹はするように言われたことを無視するほどバカではないと思う。

1 knows better than（know better than to ～）～するほどバカではない
2 gives rise　～を引き起こす
3 gets used（get used to ～）～に慣れる
4 has nothing　何も持っていない

7 (**On behalf of**) our team, I apologize for the delay in delivering the products.

チームを代表して，商品のお届けが遅れたことをおわび申し上げます。

1 In addition to　～に加えて
2 In return for　～のお返しに
3 On behalf of　～を代表して
4 On account of　～の理由で

8 You had better stop (**making fun of**) him, or you'll be expelled from school.

彼をからかうのはやめた方がいい，さもないと退学になるよ。

1 coping with　～に対処する
2 making fun of　～をからかう
3 putting up with　～を我慢する
4 keeping off from　～から離れる

9 Josh is very quiet (**by nature**), but he will never be part of anything [that goes against his beliefs].

ジョシュは元々とてもおとなしいが，自分の信念に反することには決して加担しない。

1 after all　結局
2 in shape　良い調子で
3 as follows　次の通り
4 by nature　生まれつき，元々

10 If the accident had not occurred, I could have seen Tylor (**in person**).
仮定法

事故が起きていなかったら，タイラーに直接会うことができたのに。

1 in progress　進行中
2 by contrast　それに反して
3 in person　直接，自分で
4 for long　長い間

GOAL

準備 問題 解答

レッスン4 長文 よく出る単語・表現

このページを覚えてから問題を解こう。上級者ならこのページを見ずに解こう。

04

available	形	利用可能な，入手可能な	discount	名	割引
anywhere	副	どこでも	essential	形	不可欠な
as for ~	熟	~に関しては	evidence	名	証拠
ask ~ to *do*	動	~に…するよう頼む	exist	動	存在する
at first	熟	最初は	explore	動	探検する
avoid *doing*	動	~するのを避ける	feel like *doing*	熟	~したい気がする
based on ~	熟	~に基づいていうと	fix	動	~を修理する
be on alert	熟	警戒する	force ~ to …	動	~に…することを強制する
be said to ~	熟	~と言われている	get more ~	熟	もっと~になる
book	動	~を予約する	ideal	形	理想的な
by all means	熟	絶対に	in other words	熟	言い換えると
come out	熟	現れる	instead of ~	熟	~の代わりに
compared with ~	熟	~と比べると	keep *doing*	動	~し続ける
decade	名	10年間	make a mistake	熟	間違える
despite	前	~にもかかわらず	make a reservation	熟	予約する

START

GOAL

nowadays	副	最近	**such as ～**	熟	例えば～のように
on the contrary	熟	反対に，逆に	**take a rest**	熟	休憩する
on the way to	熟	～の途中	**take advantage of ～**	熟	～を利用して
once a day	熟	1日1回	**take out ～**	熟	～を取り出す
once in a while	熟	時々	**tend to *do***	熟	～しがちである
participate	動	参加する	**that is**	熟	つまり
pay attention	熟	注意を払う	**the amount of ～**	熟	～の量
preserve	動	～を保護する	**the number of ～**	熟	～の数
promote	動	～を促進する	**thick**	形	厚い
prove	動	～を証明する	**train**	動	訓練する
purchase	動	～を購入する	**turn off ～**	熟	～を切る
raise	動	～を上げる	**used to ～**	熟	かつて～した
reusable	形	再利用可能な	**variety of ～**	熟	様々な～
rude	形	失礼な	**what is called**	熟	いわゆる
so far	熟	今のところは	**worth *doing***	熟	～する価値がある

レッスン4 長文（穴埋め問題）

次の英文を読み，その文意にそって（1）～（3）までの（　　）に入れるのに最も適切なものを 1，2，3，4 の中から 1 つ選び，その番号を○で囲みなさい。

Yawning

When human beings feel sleepy, one of the responses of the body is yawning. People sometimes yawn when they feel bored or even when they feel nervous. When people see others yawn, they yawn, too. It was believed that people yawn when their brains lack oxygen. However, it was recently proven that this isn't true. In the experiment, the content of oxygen in a person's blood was measured before and after yawning, but it didn't increase after yawning. A lot of research about yawning has been done, but **1** (　　), no researcher has found a clear reason why people yawn.

One of the theories of yawning developed by researchers is that people yawn when they want to awaken their body. When yawning, people usually open their mouth wide, which increases blood flow. People want to awaken their brains when they need to be alert. Then, when you see other people yawn, you notice they are alert and want to **2** (　　) and become alert, so you yawn. The researchers explain that this is why people yawn when they see others yawn.

Another theory is that yawning is like a switch. When people yawn, they want to change their condition, from awake to sleepy, from sleepy to awake, or from tense to relaxed. Instead of **3** (　　), people yawn to change the status of their brains.

Many researchers continue their studies, hoping they will find out more about yawning.

1
1 so far　　2 on the contrary
3 that is　　4 by all means

2
1 avoid falling asleep　　2 share the same feeling
3 get more excited　　4 wake yourself up quickly

3
1 being on alert　　2 pushing a button
3 changing the conditions　　4 switching seats

文脈がカギになります。すべての文を理解するのが理想ですが、そうでなくても話の流れをつかめると、（　）の中に入る選択肢がしぼれます。だから、（　）の前後だけを読むのではなく、各段落全体に目を通すこと。また、（　）の後ろにヒントがあることが多いです。選択肢を当てはめた後に、（　）の後も読むようにしましょう

Yawning

あくび

When human beings feel sleepy, one of the responses of the body is yawning.

人間 反応 あくびをすること

People sometimes yawn when they feel bored or even when they feel nervous.

あくびをする 退屈する 緊張する

When people see others yawn, they yawn, too. It was believed that 〈people yawn

他人があくびをするのを見る

when their brains lack oxygen〉. However, it was recently proven 〈that this isn't

最近証明された これは真実では

true〉. In the experiment, the content of oxygen in a person's blood was measured

ないと 実験では 酸素含有量 計測された

before and after yawning, but it didn't increase after yawning. A lot of research

あくびについては多くの

about yawning has been done, but ❶ (so far), no researcher has found a clear

研究が行われているが、 (今のところ) 人があくびをする明確な理由を発見した

reason [why people yawn.]

研究者はいない。

One of the theories of yawning [developed by researchers] is that people yawn

研究者たちが展開したあくびの理論のひとつ

when they want to awaken their body. When yawning, people usually open their

覚醒させる

mouth wide, [which increases blood flow]. People want to awaken their brains

そのこと(人が口を大きく開けること)が血流を増加する

when they need to be alert. Then, when you see other people yawn, you notice

警戒する必要がある そして、他の人があくびをしているのを見ると 彼らが

they are alert and want to ❷ (wake yourself up quickly) and become alert, so

警戒していると気づき (すぐに自分の目を覚まして) 警戒したいと思って、

you yawn. The researchers explain 〈that this is why people yawn when they see

あなたはあくびをする これが〜する理由だ

others yawn〉.

Another theory is that yawning is like a switch. When people yawn, they

スイッチのような

want to change their condition, (from awake to sleepy, from sleepy to awake,

or from tense to relaxed). Instead of ❸ (pushing a button), people yawn to

緊張 (ボタンを押す) 代わりに、 人はあくびをして脳

change the status of their brains.

の状態を変える

Many researchers continue their studies, hoping they will find out more about yawning.

continue：～を続ける　hoping：～しながら

1

1 **so far** 今のところ

2 on the contrary 反対に

3 that is つまり

4 by all means 絶対に

2

1 avoid falling asleep 眠りに落ちるのを避ける

2 share the same feeling 同じ感情を共有する

3 get more excited もっと興奮する

4 **wake yourself up quickly** すぐに目を覚ます

3

1 being on alert あわただしくなる

2 **pushing a button** ボタンを押す

3 changing the conditions 状況を変える

4 switching seats 席を交換する

【訳】あくび

人間が眠気を感じたとき，体の反応の１つはあくびだ。退屈したときや緊張したときでもあくびをすることがある。他の人があくびをするのを見ると，その人もあくびをする。人間は脳が酸素不足になるとあくびをすると信じられていた。しかし，これは真実ではないことが最近証明された。実験では，あくびをする前と後に血液中の酸素含有量を測定したが，あくびをした後には増加しなかった。あくびについては多くの研究が行われているが，❶今のところ，人があくびをする明確な理由を発見した研究者はいない。

研究者たちが展開したあくびの理論の１つは，人は自分の体を目覚めさせたいときにあくびをするというものだ。あくびをするときは通常，口を大きく開け，それにより血流が増加する。人々は，警戒する必要があるときに，脳を目覚めさせたいと思う。そして，他の人があくびをしているのを見ると，彼らが警戒していると気づき，❷すぐに自分の目を覚まして，警戒したいと思って，あなたはあくびをする。他の人があくびをするのを見て，人があくびをするのはこのためである，と研究者たちは説明している。

別の理論は，あくびはスイッチのようなものだというものだ。あくびをするときは，起きている状態から眠い状態，眠い状態から起きている状態，緊張している状態からリラックスしている状態など，自分の状態を変えたいと思っているのだ。❸ボタンを押す代わりに，人はあくびをして脳の状態を変える。

多くの研究者は，あくびについてもっと多くのことがわかることを期待して，研究を続けている。

START

GOAL

レッスン4 長文（メール）

次の英文の内容に関して，(4) から (6) までの質問に対して最も適切なもの，または文を完成させるのに最も適切なものを 1，2，3，4 の中から 1 つ選び，その番号を○で囲みなさい。

From: Noah Walker
To: Hampshire Hotel
Date: September 21
Subject: Change of Reservation

Dear Hampshire Hotel,

Hello, my name is Noah Walker, and I made a reservation online on September 10. The reservation I made was for a room for four people from December 12 to 14. Now, I would like to change this reservation. I tried to change it on your website, but it didn't work, so I decided to send this e-mail.

First, I would like to change the number of people that the reservation is for. I booked a room for four, but now I would like to change it to a room for five. Can we still stay in one room after changing the number of people? If not, booking 2 rooms is OK, but I would like you to reserve rooms next to each other.

Second, I would like to add one more night to the reservation. We will arrive at your hotel on December 12 and leave on December 15. In other words, we would like to stay for three nights. I checked your website, and it says that we can get a discount if we stay at your hotel for three nights or more. Please let me know if the discount rate will be applied.

Finally, I would like to book the one-day city tour for five people if we can change the reservation for the room. We would like to join the tour on December 13. If it is fully booked, we would like to join it on December 14 instead.

Thank you very much. I am looking forward to your reply.

Regards,
Noah Walker

START

GOAL

4 Noah Walker is sending this e-mail mainly because

1. he wants to change the reservation he made the other day.
2. he wants to ask if there is a room available on December 12.
3. he noticed that he made a mistake in reserving two rooms.
4. he wasn't allowed to access the website of the hotel.

5 Noah Walker wants to confirm if he can

1. let the hotel staff know they are in the same group.
2. change the reservation to two nights from December 12.
3. stay at a cheaper price when his group stays for 3 nights.
4. join the one-day city tour at a discounted rate.

6 If Noah Walker can book a room for five from December 12 to 15,

1. he can get a discount on another room next to it.
2. his group wants to participate in the tour on the second day.
3. he wants to stay in the room located near the library.
4. he will apply for the membership to the hotel website.

まず設問の質問文を読みます。4つの選択肢までは読まなくてOKです。まず何を聞かれているかの確認をして、メールの本文中の答えを探します。またメールが誰と誰のやり取りなのか、宛名と差出人を必ず確認しましょう

レッスン 4

From: Noah Walker
To: Hampshire Hotel
Date: September 21
Subject: Change of Reservation

Dear Hampshire Hotel,

Hello, my name is Noah Walker, and I made a reservation online on
予約した オンラインで
September 10. The reservation [I made] was for a room for four people from
私がした予約は
December 12 to 14. 4 Now, I would like to change this reservation. I tried to
私はこの予約を変更したいと思います。
change it on your website, but it didn't work, so I decided to send this e-mail.
上手くいかなかった

First, I would like to change the number of people [that the reservation
その予約の人数
is for]. I booked a room for four, but now I would like to change it to a
予約した
room for five. Can we still stay in one room after changing the number
of people? If not, booking 2 rooms is OK, but I would like you to reserve
もしだめなら，２部屋予約するのもOKです
rooms next to each other.
お互いとなり同士の部屋

Second, I would like to add one more night to the reservation. We will
もう１泊追加する
arrive at your hotel on December 12 and leave on December 15. In other
言い換えると
words, we would like to stay for three nights. 5 I checked your website,
ウェブサイトを見ました。
and it says that we can get a discount if we stay at your hotel for three
割引がもらえるとそれ（ウェブサイト）に書いてありました，もし３泊以上するならば。
nights or more. Please let me know [if the discount rate will be applied].
割引率が適用されるかどうか教えてください。
6 Finally, I would like to book the one-day city tour for five people if we
最後に，私は５人分の１日の市内ツアーを予約したいです， もし私たちが
can change the reservation for the room. We would like to join the tour
部屋の予約を変更できるのであれば， 12月13日のツアーに参加したいです。

on December 13. If it is fully booked, we would like to join it on December
もし予約がいっぱいなら
14 instead.
代わりに
Thank you very much. I am looking forward to your reply.
～を楽しみに待つ　返信
Regards,
Noah Walker

4 Noah Walker is sending this e-mail mainly because
ノア・ウォーカーがこのメールを送信する主な理由は

1 **he wants to change the reservation [he made the other day].**
彼は先日の予約を変更したいからだ。

2 he wants to ask if there is a room available on December 12.
彼は12月12日に予約可能な部屋があるかどうかたずねたいと思っているからだ。

3 he noticed that he made a mistake in reserving two rooms.
彼は2部屋の予約を間違えたことに気付いたからだ。

4 he wasn't allowed to access the website of the hotel.
彼はホテルのウェブサイトにアクセスさせてもらえなかったからだ。

5 Noah Walker wants to confirm if he can
ノア・ウォーカーは，～が可能かどうかを確認したいと思っている。

1 let the hotel staff know they are in the same group.
ホテルのスタッフに，彼らが同じグループに属していることを知らせること。

2 change the reservation to two nights from December 12.
予約を12月12日から2泊に変更すること。

3 **stay at a cheaper price when his group stays for 3 nights.**
彼のグループが3泊する場合は，より安く滞在すること。

4 join the one-day city tour at a discounted rate.
割引料金で1日の市内ツアーに参加すること。

6 If Noah Walker can book a room for five from December 12 to 15,
もしノア・ウォーカーが12月12日から15日までに5名で部屋を予約できるなら

1 he can get a discount on another room next to it.
彼はそのとなりの部屋の割引を受けることができる。

2 **his group wants to participate in the tour on the second day.**
彼のグループは2日目のツアーに参加したいと思っている。

3 he wants to stay in the room [located near the library].
彼は図書館の近くの部屋に泊まりたいと思っている。

4 he will apply for the membership to the hotel website.
彼はホテルのウェブサイトに会員登録の申し込みをするつもりだ。

START
GOAL

【訳】

送信者：ノア・ウォーカー
宛先：ハンプシャー・ホテル
日付：9月21日
件名：予約の変更

ハンプシャー・ホテル様
　こんにちは，9月10日にオンラインで予約したノア・ウォーカーと申します。予約したのは，12月12日から14日までの4人部屋です。❹そして，この予約を変更したいのです。ホームページで変更しようとしたのですが，うまくいかなかったので，このメールを送ることにしました。
　まず，予約の人数を変更したいのです。4人部屋を予約したのですが，5人部屋に変更したいのです。人数を変更した後も，1つの部屋に泊まることは可能でしょうか？　できない場合は，2部屋予約でもかまいませんが，となり同士の部屋を予約してほしいです。
　次に，もう1泊追加で予約したいのです。12月12日にホテルに到着し，12月15日に出発する予定です。つまり，3泊したいのです。❺ホームページを見たところ，3泊以上すると割引が受けられると書いてありました。割引率が適用されるかどうか教えてください。
　❻最後に，部屋の予約変更が可能であれば，5名で1日市内観光を予約したいのですが，いかがでしょうか？　12月13日のツアーに参加したいです。もし満席の場合は，代わりに12月14日に参加したいと思います。
　どうもありがとうございました。ご返信をお待ちしております。

　よろしくお願いします。
　ノア・ウォーカー

準備　問題　解答

START

レッスン4 長文（説明文）

次の英文の内容に関して，(7) から (11) までの質問に対して最も適切なもの，または文を完成させるのに最も適切なものを 1，2，3，4 の中から 1 つ選び，その番号を○で囲みなさい。

Shackleton; the Greatest Leader

When business people learn about leaders, they can't skip the name of Ernest Shackleton. He is said to be one of the greatest leaders that ever lived. He wasn't, however, a president, a politician, nor a religious leader. He was actually an explorer. He was the leader who led a British group exploring Antarctica more than 100 years ago. Many things, such as the global situations, the social system, technology, and the environment have changed since Shackleton explored the Antarctic, but he still gets attention 100 years later. He is still an ideal leader to many people.

In December 1914, Shackleton was on a ship named the Endurance and started to explore the South Pole. The next month, on the way to Antarctica, the Endurance was caught in thick ice and couldn't move. Shackleton decided to give up heading for the South Pole, and the Endurance started to drift. In October, Shackleton and his crew found that sea water was pouring into the ship, and he decided they would all get off the Endurance. They took out what they needed and started camping on the ice. A few weeks later, the Endurance was crushed by ice and finally sank into the sea.

The ice on which Shackleton and his crew were camping was moving as spring came and the temperature rose. They drifted for months hoping they could reach the island nearby. However, one day in April, the ice on which they were camping started to break into two and Shackleton told his crew to get onto the lifeboats. After five days, all the boats arrived at Elephant Island where nobody lived. Shackleton thought that there was no hope to be rescued if they stayed there, so he chose 5 other members out of 27, got on a lifeboat with them, and left Elephant Island for South Georgia Island, which was more than 1,300 km away. 15 days of rough sailing finally got them to South Georgia Island, and

GOAL

Shackleton and all of his crew members were rescued afterward.

In these extreme situations, Shackleton showed his leadership skills. One example is that he could understand what was going on and change his group's goals quickly. When the Endurance was caught in ice, he quickly changed plans. At first, their goal was, of course, getting to the South Pole, but he changed it to getting back home alive. And he was responsible for the plan's success. Another example is that he could keep his crew motivated. As they didn't know what would happen the next day, it was natural for them to feel hopeless. Shackleton tried to stop this feeling by forcing them to make a routine. He knew that his crew kept motivated if they had something to do every day. He also sang songs and played soccer with them to make their daily life feel normal. Shackleton was a great man who had everything it takes to become a true leader.

7 Ernest Shackleton was a great leader who

1 many politicians today have much respect for.
2 many people have paid attention to for a long time.
3 told a British group to explore Antarctica.
4 changed the global situation and the social system.

8 Why did the British group abandon the Endurance?

1 Something was wrong with it and they couldn't leave it.
2 Shackleton saw a great danger in Antarctica.
3 Thick ice got in their way and eventually the ship broke.
4 The weather was too bad to keep sailing.

9 After landing on Elephant Island, Shackleton

1 determined that nobody would help them if they stayed there.
2 let 5 members stay there and wait until they were rescued.
3 found that the ice on which they camped broke into pieces.
4 made a decision to head for the South Pole to call for help.

10 Feeling that there was no hope, the crew never lost their motivation because

1. they had already known singing and playing sports were good.
2. Shackleton promised to fix the Endurance and go home.
3. they believed the conditions were getting better and better.
4. Shackleton made them do something every day.

11 Which of the following statements is true?

1. The picture of a good leader has changed a lot recently.
2. Shackleton's crew opposed his decision to save the Endurance.
3. Shackleton decided to sail on the boats, seeing the island.
4. Shackleton's flexible thinking led to the crew's survival.

START

GOAL

レッスン4

（1 ～ 2 段落）

Shackleton; the Greatest Leader

シャクルトン：偉大なるリーダー

❼ When business people learn about leaders, they can't skip the name of
とばす

Ernest Shackleton. He is said to be one of the greatest leaders [that ever lived].
アーネスト・シャクルトン　～と言われている　史上最高のリーダーの１人

He wasn't, however, a president, a politician, nor a religious leader. He was
政治家　宗教的リーダーでもない

actually an explorer. He was the leader [who led a British group [exploring
探検家　100 年以上前に南極大陸を探検する

Antarctica more than 100 years ago]]. Many things, (such as the global situations,
イギリスのグループを率いたリーダー　例えば～のように

the social system, technology, and the environment) have changed (since
多くのことが変わった

Shackleton explored Antarctic), ❼ but he still gets attention 100 years later.
南極大陸　100 年後も彼は注目を集めている。

He is still an ideal leader to many people.
彼は今でも多くの人にとって理想的なリーダーだ。

In December 1914, Shackleton was on a ship [named the Endurance] and
エンデュランス号という名の船

started to explore the South Pole. The next month, on the way to Antarctica,
南極点　～の途中

❽ the Endurance was caught in thick ice and couldn't move. Shackleton
エンデュランス号は厚い氷に巻き込まれて動けなくなった。

decided to give up heading for the South Pole, and the Endurance started to drift.
～へ向かうこと　漂流する

❽ In October, Shackleton and his crew found 〈that sea water was pouring into
10 月，シャクルトンと彼の乗組員は，船に海水が流れ込んでいるのを発見し，

the ship〉, and he decided 〈they would all get off the Endurance〉. They took
彼ら全員がエンデュランス号から下りることにした。

out what [they needed] and started camping on the ice. A few weeks later, the
彼らが必要だったもの

Endurance was crushed by ice and finally sank into the sea.
押しつぶされた　沈んだ

START

GOAL

7 Ernest Shackleton was a great leader who
アーネスト・シャクルトンは偉大なリーダーで

1. many politicians today have much respect for.
今日、多くの政治家が大いに尊敬している。

2. **many people have paid attention to for a long time.**
多くの人々が長い間注目してきた。

3. told a British group to explore Antarctica.
イギリスのグループに、南極を探検するよう命じた。

4. changed the global situation and the social system.
世界の状況と社会システムを変えた。

8 Why did the British group abandon the Endurance?
なぜイギリスのグループはエンデュランス号を見放したのか？

1. Something was wrong with it and they couldn't leave it.
何かが故障して、彼らはそれをそのままにしておけなかった。

2. Shackleton saw a great danger in Antarctica.
シャクルトンは南極大陸に大きな危険を感じた。

3. **Thick ice got in their way and eventually the ship broke.**
厚い氷が彼らの邪魔をして、最終的に船は壊れた。

4. The weather was too bad to keep sailing.
天気が悪かったので、航行を続けることができなかった。

(3 ～ 4 段落)

The ice [on which Shackleton and his crew were camping] was moving as spring
～につれて
came and the temperature rose. They drifted for months hoping they could
気温が上がった 漂流した 期待しながら
reach the island nearby. However, one day in April, the ice [on which they were
近くの島に到着する 彼らがキャンプしていた氷
camping] started to break into two and Shackleton told his crew to get onto the
割れる 乗組員に救命ボートに乗るように
lifeboats. After five days, all the boats arrived at Elephant Island [where nobody
言った 誰も住んでいないエレファント島
lived]. ⑨ Shackleton thought 〈that there was no hope to be rescued if they
シャクルトンは，彼らがそこにいたら救助される見込みはないと考え
stayed there〉, so he chose 5 other members out of 27, got on a lifeboat with them,
27 人から（彼以外の）5 人を選んだ
and left Elephant Island for South Georgia Island, [which was more than 1,300
km away]. 15 days of rough sailing finally got them to South Georgia Island, and
はなれた 荒々しい航行 彼らを～へ到着させた
Shackleton and all of his crew members were rescued afterward.
その後に

In these extreme situations, Shackleton showed his leadership skills.
極限状態
⑪ One example is 〈that he could understand what was going on and change his
一例として，彼は何が起こっているのかを理解し，グループの目標をすばやく変更できた。
group's goals quickly〉. When the Endurance was caught in ice, he quickly
エンデュランス号が氷に巻き込まれたとき 彼はすぐに
changed plans. At first, their goal was, of course, getting to the South Pole,
計画を変更した
but he changed it to getting back home alive. And he was responsible for the
生きて家に帰ること ～に責任があった
plan's success. Another example is 〈that he could keep his crew motivated〉.
成功 意欲がある
As they didn't know what would happen the next day, it was natural for them
～なので 次の日何が起きるか 当然だ
〈to feel hopeless〉. ⑩ Shackleton tried to stop this feeling by forcing them to
絶望を感じること シャクルトンは，彼らに日課を作らせることによってこの感情（＝絶望）を
make a routine. He knew that his crew kept motivated if they had something
止めようとした。 彼は，乗組員たちが意欲を保つとわかっていた，毎日何かすることがあれば。
to do every day. He also sang songs and played soccer with them to make their

daily life feel normal. Shackleton was a great man [who had everything [it takes (to become a true leader)]].
すべてを持った偉大な男
真のリーダーになるために。

9 After landing on Elephant Island, Shackleton
エレファント島に上陸後，　シャクルトンは

1. **determined that nobody would help them if they stayed there.**
   彼らがそこにいたら誰も助けてくれないと判断した。
2. let 5 members stay there and wait until they were rescued.
   5人のメンバーをそこに留め，救出されるまで待機させた。
3. found that the ice on which they camped broke into pieces.
   彼らがキャンプしていた氷が粉々に割れているのを発見した。
4. made a decision to head for the South Pole to call for help.
   助けを呼ぶために南極点に向かうことを決定した。

10 Feeling that there was no hope, the crew never lost their motivation because
乗組員は希望がないことと思っていたが，意欲を失うことはなかった，　なぜなら

1. they had already known singing and playing sports were good.
   彼らは，歌を歌ったりスポーツをしたりすることが良いことだとすでに知っていたからだ。
2. Shackleton promised to fix the Endurance and go home.
   シャクルトンはエンデュランス号を修理して家に帰ると約束したからだ。
3. they believed the conditions were getting better and better.
   彼らは状況がますます良くなっていると信じていたからだ。
4. **Shackleton made them do something every day.**
   シャクルトンは彼らに毎日何かをさせたからだ。

11 Which of the following statements is true?
次の文のうち，正しいものはどれか？

1. The picture of a good leader has changed a lot recently.
   最近，優れたリーダーのイメージが大きく変わった。
2. Shackleton's crew opposed his decision to save the Endurance.
   シャクルトンの乗組員は，エンデュランス号を救うという彼の決定に反対した。
3. Shackleton decided to sail on the boats, seeing the island.
   シャクルトンは，島を見て船で航海することにした。
4. **Shackleton's flexible thinking led to the crew's survival.**
   シャクルトンの柔軟な思考が乗組員の生存につながった。

START

GOAL

【訳】偉大なる指導者シャクルトン

❼ビジネスパーソンがリーダーについて学ぶとき，彼らはアーネスト・シャクルトンの名前を省略することはできない。彼は歴史上最も偉大な指導者の1人だと言われている。しかし，彼は大統領でも，政治家でも，宗教指導者でもなかった。彼は実は探検家だった。彼は100年以上前に南極大陸を探検したイギリスのグループを率いたリーダーだった。シャクルトンが南極大陸を探検して以来，地球の状況，社会システム，科学技術，環境など多くのことが変化したが，❼ 100年後も彼は注目を集めている。彼は今でも多くの人にとって理想的な指導者だ。

1914年12月，シャクルトンはエンデュランス号という船に乗り，南極の探検を始めた。翌月，南極大陸に向かう途中，❽エンデュランス号は厚い氷に巻き込まれて動けなくなった。シャクルトンは南極に向かうのをあきらめることにし，エンデュランス号は漂流し始めた。❽ 10月，シャクルトンと彼の乗組員は，船に海水が流れ込んでいるのを発見し，彼ら全員がエンデュランス号から降りることにした。彼らは必要なものを取り出して，氷の上でキャンプを始めた。数週間後，エンデュランス号は氷に押しつぶされ，ついに海に沈んだ。

シャクルトンと彼の乗組員がキャンプしていた氷は，春が来て気温が上昇するにつれて動いていた。彼らは近くの島に着くことを願って何か月も漂流した。しかし，4月のある日，彼らがキャンプしていた氷が2つに割れ始め，シャクルトンは彼の乗組員に救命ボートに乗るように言った。5日後，すべてのボートが誰も住んでいないエレファント島に到着した。❾シャクルトンは，彼らがそこにいたら救助される見込みはないと考え，27人のメンバーのうち5人を選び，彼らと一緒に救命ボートに乗り，1300km以上離れたサウスジョージア島に向けてエレファント島を出発した。15日間の荒っぽい航海を経て，ついに彼らはサウスジョージア島にたどり着き，シャクルトンと彼の乗組員全員はその後救出された。

このような極端な状況で，シャクルトンは指導力を発揮した。⓫一例として，彼は何が起こっているのかを理解し，グループの目標をすばやく変更することができた。エンデュランス号が氷に巻き込まれたとき，彼はすぐに計画を変更した。当初，彼らの目標はもちろん南極に到達することだったが，彼はそれを生きて家に帰ることに変更した。そして，彼はその計画の成功に責任があった。もう1つの例は，乗組員の意欲を保つことができたことだ。次の日に何が起こるかわからなかったので，絶望的な気持ちになるのは当然だった。❿シャクルトンは，彼らに日課を作らせることによってこの感情を止めようとした。彼は，乗組員たちが毎日何かすることがあれば意欲を保つとわかっていた。彼はまた，彼らの日常生活をふつうに感じさせるために，一緒に歌を歌ったり，サッカーをしたりした。シャクルトンは真のリーダーになるために必要なすべてを持っていた偉大な男だった。

第3章

リスニング

LISTENING

英検 2級

リスニング 心得

1 はじめに

2級では、流れる英文をすべて1回で聞き取る必要があります。しかも、準2級よりもスピードは速くなり、英文の量も大幅に増えています。
1回で聞き取って、選択肢を読み、答えるには、かなりの集中力が必要です。まずは10分間くらいから練習し始め、最終的には約25分間、英語をリスニングし続ける集中力を手に入れましょう。

2 リスニングが苦手な人の4つのタイプ

①英語の発音を聞き取るのが苦手な人

このタイプの人は、音読練習が効果的です。LやR、THなどの「日本語にない音」やtake part in、pick it upなどの「つなげて発音される単語」が聞き取れない人は発音練習をしましょう。英語らしい発音を意識して音読すると、自然と聞き取れる単語が増えていきます。

②英語の発音は聞き取れても、意味がわからない人

このタイプの人は、シンプルに語彙力が不足しています。リスニングに限らず多くの問題を解いて、単語を覚えましょう。そのときに発音の確認と練習を忘れずに。例えば、exhibitやallow、thoughなど、「目で見ればわかるのに聞くとわからない」単語は、発音練習不足です。単語を覚えるときに必ず発音もセットで覚えましょう。

③スピードについていけない人

このタイプの人は、早口での音読練習が効果的です。ふだんゆっくりと自分のペースで発音している人が多いはずです。音読練習で発音できる速度が上がれば、聞き取れる速度も必ず上がります。
モデル音声を聞きながら、その発音スピードに合わせて、少し遅れて発音するシャドーイングという発音練習方法が効果的です。

④集中が続かない人

このタイプの人は、ふだん、英語を聞く機会が不足しています。2級は約25分間も英語を聞き続ける必要があります。教科書や問題集のリスニング音声をできるだけ長く聞く時間を取ることが必要です。毎日最低10分間（できれば20分間）英語を聞く時間を作りましょう。そうすれば英語を聞き続ける力が身につきます。

3　第1部　対話の後の質問に答える問題

２級のリスニング問題は、選択肢の英文が表記されているので、事前に読んで問題内容を予測します。必要に応じて、下線を引き、メモを取りましょう。ただし、無理してメモする必要はありません。

問題数が15問もあるので、ひと休みしている暇はありません。聞き続ける力をつけるためには、繰り返しリスニング問題を解いて、英文を聞くことに慣れる必要があります。

問題の多くは、男女２人の会話になっていますが、選択肢にはその男女の発言内容が入れ替わっているフェイクの選択肢があります。どちらのセリフかよく注意して聞きましょう。

4　第2部　英文の後に質問に答える問題

かなり長い英語の説明文を約50秒間聞いてから、質問に答えるので、より高い集中力が求められます。また、内容も日常会話の延長に、社会問題などの少し専門的なトピックが加わってくるため豊富な語彙が求められます。
第1部と同様に選択肢の英文が表記されます。事前に読んで問題の内容を予想するのがベストです。

文法の難易度は準2級と比べてそれほど変わりませんが、関係代名詞の文が頻繁に出てきます。日本語の語順に訳していると理解するスピードが追い付かないので、英語の語順で理解するようにトレーニングしましょう

レッスン1 リスニング よく出る単語・表現①

このページを覚えてから問題を解こう。上級者ならこのページを見ずに解こう。

05

a cup of	熟	1杯の～
according to ～	熟	～によると
achieve	動	～を達成する
add	動	～を加える
allergic	名	アレルギー
analysis	名	分析
analyze	動	～を分析する
attend	動	～に出席する
awesome	形	すごい，とても良い
bake	動	～を焼く
be proud of ～	熟	～を誇りに思う
be supposed to *do*	熟	～することになっている
be worried about ～	熟	～について心配する
bump into ～	熟	～にぶつかる
call one back	熟	～にかけなおす
collect	動	～を集める
common	形	共通の
consider	動	～を考える
cousin	名	いとこ
document	名	資料
earn	動	～を稼ぐ
enjoyable	形	楽しめる
expect	動	～を予期する
extra	形	追加の
get lost	熟	道に迷う
grandparents	名	祖父母
guess	動	～だと思う
How can I help you?		どうされましたか？
I'd love to.		喜んで。
I'm glad to ～ .		～して嬉しい。

increase	動	～を増やす，伸ばす
information	名	情報
irregularly	副	不規則な
landscape	名	風景画
look	動	～に見える
make a speech	熟	スピーチする
non-standard	形	規格外の
one year junior	熟	1つ年下
postpone	動	～を延期する
product	名	製品
professional	形	プロの
reasonable	形	手頃な
rich	形	裕福な
sales report	名	売上報告書
save	動	～を救う

slip	動	滑る
slippery	形	滑りやすい
something is wrong with ～	熟	～は調子が悪い
spicy	形	辛い，スパイシーな
straight	形	まっすぐな
take a day off	熟	休みを取る
taste	名	味
topic	名	話題，トピック
traffic jam	名	渋滞
wear	動	～を身に着ける
Welcome to ～ .		～にようこそ。
What happened to ～ ?		～はどうしたの？
widely	副	広く
work on	熟	取り組む
Would you tell me ～ ?		～を教えていただけますか？

レッスン 1 第1部

対話と質問を聞き，その答えとして最も適切なものを 1，2，3，4 の中から 1 つ選びなさい。 06

No. 1 07

1. He drank a glass of juice.
2. He wore new glasses.
3. He had his hair cut.
4. He wore a new shirt.

No. 2 08

1. Turn right.
2. Turn left.
3. Go straight.
4. See the coffee shop.

No. 3 09

1. The traffic may be heavy.
2. They might get lost.
3. Her friends may come earlier.
4. They can't wait for a long time.

No. 4 10

1. He knew that Ms. Walsh didn't like him.
2. He knew that Ms. Walsh was angry.
3. He didn't know if he could be a good leader.
4. He didn't know what Ms. Walsh would tell him.

No. 5 11

1. To go to a nursing school.
2. To spend money on many things.
3. To buy the car he has just seen.
4. To travel with her.

No. 6 12

1 To check if they can have lunch there.
2 To book one room for next Saturday.
3 To change the reservation time.
4 To reserve a table at the restaurant.

No. 7 13

1 Her grandparents will move to Italy.
2 She and her grandparents will travel to Italy.
3 Her grandparents will come to the place where she is.
4 She is going to visit her grandparents in Italy.

No. 8 14

1 It's the city's only shop selling Molly's dresses.
2 It only sells dresses made for special occasions.
3 The designer Molly chose the shop to sell his dresses.
4 Customers can try on as many dresses as they want.

No. 9 15

1 Checking products to send their boss a report.
2 Preparing a sales report in half an hour.
3 Making a document to use later today.
4 Making a plan to increase their sales.

No. 10 16

1 How to set goals for their lives.
2 About SDGs and writing reports.
3 How Professor Russell researched the SDGs.
4 How the SDGs can be achieved.

このパートは選択肢の英文が表記されているので、事前の予想ができます。この4つの選択肢を読んで理解する語彙力とスピードが求められます。すばやく読み取る練習をしましょう

レッスン 1

07

No.1

☆ You look different today, Mike.
今日はいつもと違って見えるね、マイク。

★ Oh, do I? Actually, I changed something. Guess what I changed, Amy!
え、そうかな？ 実は、あることを変えたんだ。 僕が何を変えたと思う、エイミー！

☆ Mmm, did you have your hair cut? No! Now I know! **You are wearing new glasses.**
うーん、髪を切った？ 違う。わかった！ 新しいメガネをかけているのね。

★ You are right!
正解！

Question : What did Mike do?
マイクは何をしたか？

1. He drank a glass of juice. 彼はジュースを 1 杯飲んだ。
2. **He wore new glasses.** 彼は新しいメガネをかけていた。
3. He had his hair cut. 彼は髪を切ってもらった。
4. He wore a new shirt. 彼は新しいシャツを着ていた。

08

No.2

★ Excuse me. Would you tell me where the Black Bean Coffee Shop is?
すみません。 ブラック・ビーンコーヒーショップはどこか教えていただけますか？

☆ Sure. Can you see the post office over there?
いいですよ、あそこに郵便局が見えますか？

★ Yes, it is the brown building, isn't it?
はい、茶色のビルですね？

☆ That's right. **Turn left at that corner** and walk straight for 2 blocks.
そうです。 その角を左に曲がって、まっすぐ 2 ブロック歩いてください。
Then, it will be on your left. You can't miss it.
そうすると、左手にあります。 すぐわかりますよ。

Question : What will the man do at the corner of the post office?
男性は郵便局の角で何をするか？

1. Turn right. 右に曲がる。
2. **Turn left.** 左に曲がる。
3. Go straight. 直進する。
4. See the coffee shop. コーヒーショップを見る。

START

09

No.3

☆ Dad, can you give me a ride?
お父さん、（車に）乗せてくれない？
★ Sure.　Where do you want to go?
いいよ。どこに行きたいんだい？
☆ I'm going to meet my friends at Bayside Station at 3 p.m.　What time should we leave home?
午後3時にベイサイド・ステーションで友人と待ち合わせをしているの。何時に家を出ればいいかな？
★ Well, we may get caught in a traffic jam, so I think we should leave a little earlier.　How about 2:15 p.m.?
そうだな、渋滞に巻き込まれるかもしれないから、少し早く出発した方がいいと思う。午後2時15分でどう？

Question : Why do they leave earlier?
なぜ彼らは早めに出発するのか？

1 **The traffic may be heavy.**
道が混んでいるかもしれない。
2 They might get lost.
道に迷うかもしれない。
3 Her friends may come earlier.
彼女の友達はもっと早く来るかもしれない。
4 They can't wait for a long time.
彼らは長い間待つことができない。

10

No.4

☆ Come in, Matthew.　I have something to tell you.
入って、マシュー。伝えたいことがあるの。
★ Thank you, Ms. Walsh.　I'm actually quite nervous.
ありがとうございます、ウォルシュさん。実はかなり緊張しています。
☆ Oh, don't be so nervous.　I have good news.　We would like to offer you a new position starting next month.　It's as the leader of the investment team.　Will you accept our offer?
ああ、そんなに緊張しないで。いい知らせよ。来月から始まる新しいポジションを提供したいと思うの。投資チームのリーダーとしてよ。申し出を受けますか？
★ Of course!　I am very glad to hear that.　I'll try to be the best leader ever.
もちろんです！それを聞いてとても嬉しいです。これまでで最高のリーダーになるように努力します。

Question : What made Matthew nervous?
何がマシューを不安にさせたのか？

1 He knew that Ms. Walsh didn't like him.
彼はウォルシュさんが自分を気に入らないことを知っていた。
2 He knew that Ms. Walsh was angry.
彼はウォルシュさんが怒っていることを知っていた。
3 He didn't know if he could be a good leader.
彼は自分が優れたリーダーになれるかどうかがわからなかった。
4 **He didn't know what Ms. Walsh would tell him.**
彼はウォルシュさんが彼に何を言うか知らなかった。

GOAL

11

No.5

★ Look at that car! It's cool. I wish I were rich enough to buy a car.
あの車を見て！ かっこいいな。車を買えるくらい金持ちだったらなぁ。

☆ Well, you have just started working as a nurse. I am sure you can buy one if you want to.
ええと、あなたは看護師として働き始めたばかりだよね。 買いたければ買えると思うよ。

★ **I have many other things to buy, such as bags, nice clothes, and delicious food. Ah, I also want to travel a lot!**
他にもたくさん買うものがあるんだ、例えばカバン、素敵な服、おいしい食べ物とか。 ああ、たくさん旅行もしたい！

☆ Then, you should earn more money...
じゃあ、もっとお金を稼ぐべきだね…

Question : Why does the man want to be richer?
なぜ男性は自分がもっと金持ちになりたいと思うのか？

1 To go to a nursing school.
看護学校に行くため。

2 To spend money on many things.
多くのことにお金を使うため。

3 To buy the car he has just seen.
ちょうど見た車を買うため。

4 To travel with her.
彼女と旅行するため。

12

No.6

☆ Hello. Hotel Miller. Paula speaking. How may I help you?
もしもし。ホテルミラーです。ポーラがお伺いします。ご用件は何でしょうか？

★ Hello, my name is Henry Sanders and I have a reservation for one room next Saturday. **I would like to reserve a table for two at your Italian restaurant for 7 p.m.**
もしもし、来週の土曜日に１部屋予約しているヘンリー・サンダースです。 午後７時にそちらのイタリアンレストランで２人分のテーブルを予約したいのですが。

☆ Thank you, Mr. Sanders. Let me check. Yes, we can make a reservation for you at that time.
サンダース様、ありがとうございます。お調べいたします。はい、その時間にご予約させていただきます。

★ Thank you.
ありがとう。

Question : Why did Henry call Hotel Miller?
なぜヘンリーはホテル・ミラーに電話したのか？

1 To check if they can have lunch there.
昼食がとれるか確認するため。

2 To book one room for next Saturday.
次の土曜日に１部屋を予約するため。

3 To change the reservation time.
予約時間を変更するため。

4 To reserve a table at the restaurant.
レストランのテーブルを予約するため。

START

13

No.7

★ Mia, I am sorry to tell you, but our trip to Italy to see your grandparents will be postponed.
ミア，伝えるのが残念なんだけど，あなたの祖父母に会うための私たちのイタリアへの旅行は延期するよ。

☆ I can't believe it, Dad. I was really looking forward to it. How come?
パパ，信じられない。とても楽しみにしていたのに。どうして？

★ Well, your grandparents will come to see you here!
ええと，あなたの祖父母がここにあなたに会いに来るんだ！

☆ Wow! That is the best news I have ever heard. I can't wait to see them.
わあ！ それは今まで聞いた中で最高の知らせよ。彼らに会うのが待ち切れない。

Question : What is the best news that Mia has heard?
ミアが聞いた中で最高の知らせは何か？

1. Her grandparents will move to Italy.
彼女の祖父母が，イタリアに引っ越す。
2. She and her grandparents will travel to Italy.
彼女と彼女の祖父母が，イタリアに旅行する。
3. **Her grandparents will come to the place where she is.**
彼女の祖父母が，彼女がいる場所に来る。
4. She is going to visit her grandparents in Italy.
彼女は祖父母に会うためにイタリアへ行くつもりだ。

14

No.8

☆ Excuse me, I am looking for a dress for special occasions.
すみません，特別な日のためのドレスを探しています。

★ How about this one? It is a dress designed by Molly from New York.
こちらはいかがですか？ ニューヨークのモリーがデザインしたドレスです。
They are so popular now that you can't get his dresses at any other shops in this city.
今とても人気があるので，この街の他のお店では彼のドレスを買うことができません。

☆ I know that designer. This dress is as good as I've heard. May I try it on?
私はそのデザイナーを知っています。このドレスは聞いた通りいいですね。試着してもいいですか？

★ By all means. Please follow me. I'll take you to the dressing room.
ぜひ。私についてきてください。試着室までご案内します。

Question : What is special about this shop?
このお店の特別なところは何か？

1. **It's the city's only shop selling Molly's dresses.**
モリーのドレスを売っている街で唯一の店である。
2. It only sells dresses made for special occasions.
特別な機会のために作られたドレスのみを販売している。
3. The designer Molly chose the shop to sell his dresses.
デザイナーのモリーは，自分のドレスを売るためにその店を選んだ。
4. Customers can try on as many dresses as they want.
客は好きなだけたくさんドレスを試着できる。

GOAL

15

No.9

☆ Have you finished preparing the document we'll use at the meeting today?
今日の会議で使う資料の準備は終わりましたか？

★ Almost. All I have to do now is add one more page to show the results of the sale.
ほぼ。 あと私がすべきことは，販売結果を表示するもう1ページを追加するだけです。

☆ Great. When you finish adding that, please let me know. I'll send it to our manager.
よかった，追加が終わったら教えてください。 部長に送ります。

★ I got it. It will be finished in half an hour.
わかりました。30分ほどで終わります。

Question : What are they working on?
彼らは何に取り組んでいるか？

1 Checking products to send their boss a report.
上司に報告書を送るために製品をチェックしている。

2 Preparing a sales report in half an hour.
30分後に販売報告書を準備する。

3 **Making a document to use later today.**
今日この後使う書類を作成している。

4 Making a plan to increase their sales.
売上を伸ばす計画を立てている。

16

No.10

☆ Professor Russell from Barns University will make a speech at our high school next month.
バーンズ大学のラッセル教授が来月，私たちの高校でスピーチをします。

★ It'll be a great experience for students. What will he talk about?
生徒にとってはいい経験になりますね。 どんな話をするんですか？

☆ He'll talk about the impact of achieving the SDGs on the world.
SDGsの達成が世界に与える影響について語ります。

★ Considering the students' interest in the SDGs, it is the best topic. Now they are interested in the SDGs, so it is a great opportunity for them to learn how the goals should be achieved.
生徒のSDGsへの関心を考えると， 最高の話題です。
今，彼らはSDGsに関心を持っているので，目標をどのように達成すべきかを学ぶ絶好の機会です。

Question : What can the students learn from Professor Russell's speech?
生徒はラッセル教授のスピーチから何を学ぶことができるか？

1 How to set goals for their lives.
人生の目標を設定する方法を学ぶ。

2 About SDGs and writing reports.
SDGsについて学び，レポートを執筆する。

3 How Professor Russell researched the SDGs.
ラッセル教授がSDGsをどのように研究したかを学ぶ。

4 **How the SDGs can be achieved.**
SDGsをどのように達成できるかを学ぶ。

START

GOAL

準備 問題 解答

レッスン2 リスニング よく出る単語・表現②

このページを覚えてから問題を解こう。上級者ならこのページを見ずに解こう。

17

a kind of ～	熟	～の一種	content	名	内容
adjust	動	～を調整する	continue to *do*	動	～し続ける
advise	動	～に助言する	create	動	～を創作する
agree with ～	熟	～に賛成する	definitely	副	きっと
annoying	形	いらいらさせる	destination	名	目的地
apologize	動	おわびする，あやまる	development	名	開発
artificial intelligence	名	人工知能(AI)	disease	名	病気
as you can imagine	熟	ご想像の通り	distribute	動	～を配布する
attractive	形	魅力的な	do well	熟	うまくいく
authentic	形	本格的な	elementary student	名	小学生
be located on ～	熟	～に位置している	employee	名	従業員
brave	形	勇気がある	end up	熟	最後は～にいることになる
breathe	動	呼吸する	exception	名	期待
business	名	商売	exercise	名	運動
capacity	名	容量	from time to time	熟	時々

START

GOAL

head	動	～に向かって進む
impolite	形	失礼な
inconvenient	形	不便な
indispensable	形	欠くことのできない，絶対必要な
industry	名	産業
inform	動	～に知らせる，告げる
invent	動	～を発明する
Jewish	名	ユダヤ人
liquid	名	液体
modern	形	現代の
out of order	熟	故障して
oversleep	動	寝坊する
performance	名	公演
queue	名	列，列を作って待っている人々
quit	動	～をやめる
repair	動	～を修理する
replace	動	～を変更する
routine	名	日課
run out of ～	熟	～を使い果たす，切らす
salary	名	給料
shortage	名	不足
solid	形	固形の
splendid	形	すばらしい
stop by ～	熟	～に立ち寄る
temperature	名	気温
thoroughly	副	完全に，全く
turn out	熟	～であることがわかる
utilize	動	～を利用する
wake up	熟	目覚める
Would you please come to ～?		～にお越しいただけますか？

レッスン2 第2部

英文と質問を聞き，その答えとして最も適切なものを1，2，3，4の中から1つ選びなさい。🔊18

No. 1 🔊19

1 It has plenty of tables.
2 The Chinese chefs cook food.
3 It is located on North Street.
4 It has a website you can visit.

No. 2 🔊20

1 She told Alice to keep studying at school.
2 She went to Alice's house after school and taught her.
3 She continued to teach Alice until she understood.
4 She advised Alice to become a teacher like her.

No. 3 🔊21

1 It was built in 2005.
2 It is the tallest building in this town.
3 It is 440 meters tall.
4 It is shorter than Hugh Hotel.

No. 4 🔊22

1 They are indispensable to make the ideal future.
2 Many companies are short of delivery persons.
3 The latest technologies have to be utilized.
4 Online shopping is the only way to get the products.

No. 5 🔊23

1 Look for a new captain because he wants to resign.
2 Practice harder to win all the games they play.
3 Change how to practice baseball.
4 Replace the regular members of the team.

No. 6 24

1 Get drinks for free only if you have other flights.
2 Show your flight tickets to the staff at Gate No.12.
3 Go to Gate No.5 to get the coupons for drinks.
4 Ask the staff at the shop in front of the reception.

No. 7 25

1 A kind of bread that Jewish people made.
2 A round shape and sweet.
3 The bread brought from New York to Europe.
4 A popular breakfast food in New York.

No. 8 26

1 He decided to leave XYZ Company.
2 He chose one of the two offers.
3 He refused the offer from Red Wood Software.
4 He made up his mind to live a hard life.

No. 9 27

1 She works for a bank with Elena.
2 She gives advice to people who are in trouble.
3 She works for a company which manufactures smartphones.
4 She used to work for a bank, but she quit.

No. 10 28

1 Much water is needed to develop the essential technology.
2 We have no idea how much water on the Earth can be used.
3 There is no way to use sea water as a water resource.
4 It still costs too much to change sea water into fresh water.

このパートは、パート1と同様に事前に選択肢を読むようにしましょう。答えのヒントとなる文は、冒頭・中盤・終盤と出てくるタイミングが問題ごとに違うので、最初から最後まで聞く必要があります

レッスン 2

19

No.1

I am Janice from City Center Radio. Today I'll introduce a new restaurant in
シティセンター・ラジオのジャニスです。 今日は、市内の新しいレストランを紹介します。
the city. It is Lee's Table, a Chinese restaurant located on North Street. The
北通りにある中国料理店，リーズ・テーブルです。
chefs were invited from China, so the restaurant offers authentic Chinese
シェフは中国から招かれました，だから，そのレストランは本格的な中華料理を提供しています。
food. **With a capacity of 30 tables, it is the best place to have a party with your**
30席のテーブルがあり，友人や家族とのパーティーに最適です。
friends and family. If you need more information, please visit their website.
さらに詳しい情報が必要な場合は，彼らのウェブサイトをご覧ください。

Question : Why is the restaurant the best place for a party?
なぜレストランはパーティーに最適な場所なのか？

1. **It has plenty of tables.** たくさんのテーブルがある。
2. The Chinese chefs cook food. 中国人シェフが料理する。
3. It is located on North Street. 北通りにある。
4. It has a website you can visit. アクセスできるウェブサイトがある。

20

No.2

Alice is a teacher at an elementary school. She had wanted to become a
アリスは小学校の先生だ。 彼女は教師になりたかった，
teacher, so she went to university to learn the necessary things to become a
だから，教師になるために必要なことを学ぶために大学に行った。
teacher. When she was an elementary student, she met Ms. Gray. At that time,
小学生のとき， 彼女はグレイ先生に出会った。当時，
Alice didn't like her school very much as she didn't understand thoroughly
アリスは学校があまり好きではなかった 先生たちの言うことがよく理解できなかったので。
what her teachers said. Ms. Gray was very kind and **kept teaching her until she**
グレイ先生はとても親切で，彼女が理解するまで教え続けた。
understood. Now Alice wants to be a teacher just like Ms. Gray.
今，アリスはグレイ先生のような先生になりたいと思っている。

Question : What did Ms. Gray do for Alice?
グレイ先生はアリスのために何をしたか？

1. She told Alice to keep studying at school.
彼女はアリスに学校で勉強を続けるように言った。
2. She went to Alice's house after school and taught her.
彼女は放課後，アリスの家に行って教えた。
3. **She continued to teach Alice until she understood.**
彼女はアリスが理解するまで教え続けた。
4. She advised Alice to become a teacher like her.
彼女はアリスに彼女のような教師になるよう助言した。

21

No.3

Welcome to Blue Sky Tower. This tower is 340 meters tall.
ブルースカイタワーへようこそ。 このタワーの高さは 340 メートルです。
Built in 1995, it was the tallest building in this town at that time. Now it
1995 年に建てられたもので，当時この町でいちばん高い建物でした。 現在，それは
is the second tallest building, giving up the top spot to Hugh Hotel on the
2 番目に高い建物で，ウォーターフロントのヒューホテルに 1 位を譲っています。
waterfront. When you go up to the top with our elevators, you can enjoy a
エレベーターで頂上まで行くと，この町の素晴らしい景色が楽しめます。
splendid view of this city. I hope you will have a great day here at Blue Sky
ここブルースカイタワーで素晴らしい 1 日をお過ごしください。
Tower.

Question : What is one thing we learn about Blue Sky Tower?
ブルースカイタワーについてわかることは何か？

1. It was built in 2005. 2005 年に建てられた。
2. It is the tallest building in this town. この町でいちばん高い建物だ。
3. It is 440 meters tall. 高さは 440 メートルだ。
4. **It is shorter than Hugh Hotel.** ヒューホテルより低い。

22

No.4

Now a lot of people buy things online. Customers don't have to go to shops
今では多くの人がオンラインで買い物をする。 客が店に行って，買ったものを持って帰る必要は
and bring back the things they buy. After clicking "Buy Now," the products
ない。 「今すぐ購入」をクリックすると， 商品は
will be delivered to their houses by delivery people. However, many delivery
配達員によって自宅に配達される。 しかし， 多くの運送会社は
companies suffer from a shortage of delivery persons. One of the solutions
配達員の不足に悩まされている。 解決策の 1 つは
is to use drones. With the development of this technology, drones can now
ドローンを使うことだ。この技術の開発があって， 今ではドローンが
deliver the products. In the near future, it will be common to receive packages
商品を届けることができる。近い将来， ドローンから荷物を受け取ることが
from drones.
一般的になるだろう。

Question : Why are drones necessary for deliveries?
なぜドローンは配達に必要なのか？

1. They are indispensable to make the ideal future.
   理想の未来をつくるために不可欠である。
2. **Many companies are short of delivery presons.**
   多くの企業で配達員が不足している。
3. The latest technologies have to be utilized.
   最新の技術を利用しなければならない。
4. Online shopping is the only way to get the products.
   オンラインショッピングは，商品を手に入れる唯一の方法だ。

23

No.5

Josh is the captain of the baseball team at school. His team is strong and wins
ジョシュは学校で野球チームのキャプテンをしている。 彼のチームは強くて，ほとんどの
most of the games. Last week, some of his teammates came to him and told
試合に勝つ。 先週， 何人かのチームメイトが彼のところに来て，
him that they wanted to quit because the practices were too hard and they
やめたいと言った， なぜなら練習が厳しすぎて
couldn't enjoy baseball anymore. Josh was very surprised as he had believed
もう野球が楽しめなくなったから。 ジョシュはとても驚いた，
that it was necessary for all of the teammates to practice hard to win. Now
チームメート全員が勝つためには一生懸命練習する必要があると信じていたので。 今，
Josh thinks it is time to consider and change the way they practice baseball.
ジョシュは，野球の練習方法を考え，変えるときが来たと思っている。

Question : What will Josh probably do?
ジョシュはおそらく何をするだろうか？

1 Look for a new captain because he wants to resign.
辞任したいので，新しいキャプテンを探す。

2 Practice harder to win all the games they play.
彼らがプレーするすべての試合に勝つために，もっと熱心に練習する。

3 Change how to practice baseball.
野球の練習方法を変える。

4 Replace the regular members of the team.
チームのレギュラーメンバーを変更する。

24

No.6

Thank you for using Sky Wing Airlines. We are sorry to inform you that our
スカイウイング・エアラインズをご利用いただきありがとうございます。申し訳ありませんが，
flight to Paris will be delayed by about 2 hours due to a mechanical problem.
当社のパリ行きの便は，機械の問題のため約2時間遅れます。
While waiting, you can enjoy drinks with the coupons we will distribute in
お待ちの間，5番ゲート前で配布するクーポンでお飲み物をお楽しみいただけます。
front of Gate No.5. For those who have other flights after arriving in Paris,
パリに着いてから他のフライトがある方は，
would you please come to Gate No.12? We can rearrange your flights to your
12番ゲートにお越しいただけますか？ 最終目的地までの飛行機の便を変更する
final destinations. Thank you for your understanding.
ことができます。 ご理解ありがとうございます。

Question : If you want something to drink while waiting, what will you do?
待っている間に何か飲み物が欲しい場合はどうするか？

1 Get drinks for free only if you have other flights.
他の便がある場合にのみ，無料で飲み物を入手する。

2 Show your flight tickets to the staff at Gate No.12.
航空券を12番ゲートで係員に提示する。

3 Go to Gate No.5 to get the coupons for drinks.
ドリンク・クーポンをもらうために5番ゲートに行く。

4 Ask the staff at the shop in front of the reception.
受付の前のお店の人にたずねる。

25

No.7

When you think of popular breakfasts in New York, many of you may think of
ニューヨークで人気のある朝食といえば，ベーグルを思い浮かべる人が多いかもしれない。
bagels. They are a kind of bread in the shape of a ring. It is true that bagels
それは輪の形をしたパンの一種である。 確かに，ベーグルは
are very popular in New York now and people think they are from there, but
今ニューヨークでとても人気があり，人々はそれがそこ（ニューヨーク）から来たと思っているが，
it wasn't in New York that bagels were first made. Bagels were, in the first
ベーグルが最初に作られたのはニューヨークではなかった。 ベーグルはそもそもヨーロッパの
place, made by Jewish people in Europe. Jewish people, who moved to New
ユダヤ人によって作られたものだ。 ユダヤ人たちはヨーロッパからニューヨークに
York from Europe, started to make bagels in the USA and they became a
移住したのだが， アメリカでベーグルを作り始め，それら（ベーグル）がニューヨークの
typical breakfast food in New York.
代表的な朝食となった。

Question : What image do many people perhaps have of bagels?
多くの人はベーグルにたぶんどんなイメージを持っているか？

1 A kind of bread that Jewish people made.
ユダヤ人が作ったパンの一種だ。

2 A round shape and sweet.
丸い形で甘い。

3 The bread brought from New York to Europe.
ニューヨークからヨーロッパに運ばれてきたパンである。

4 A popular breakfast food in New York.
ニューヨークで人気のある朝食である。

26

No.8

Colin now works for Red Wood Software, which is a company that creates
コリンは現在，レッドウッド・ソフトウェアに勤務している，それはソフトウェアを作成している会社だ。
software. Five years ago, when he was looking for a job, he got two job offers.
5年前，彼が仕事を探していたとき，彼は2つの仕事のオファーを受けた。
One was from Red Wood Software and the other was from XYZ Company.
1つはレッドウッド・ソフトウェアから，もう1つはXYZ社からだった。
Both offers were attractive, but he ended up choosing Red Wood Software.
どちらのオファーも魅力的だったが，結局彼はレッドウッド・ソフトウェアを選んだ。
Recently, he heard that XYZ Company is not doing well in business. If he
最近，XYZ社の経営がうまくいっていないと聞いた。 もし
had chosen the other offer, he would have lived a hard life.
彼がもう一方の申し出を選んでいたら，彼は苦しい生活を送っていただろう。

Question : What was Colin's choice five years ago?
5年前のコリンの選択は何だったか？

1 He decided to leave XYZ Company.
XYZ社を去ることに決めた。

2 He chose one of the two offers.
2つのオファーのうち1つを選んだ。

3 He refused the offer from Red Wood Software.
レッドウッド・ソフトウェアからのオファーを断った。

4 He made up his mind to live a hard life.
苦しい生活を送る決意をした。

27

No.9

Audrey is a young woman working for a bank. At night, she sometimes
オードリーは銀行で働いている若い女性だ。ときどき，彼女は夜
couldn't sleep very well. She asked for her friend's advice about it. Her
よく眠れなかった。彼女はそれについて友人の助言を求めた。
colleague, Elena, used to have the same problem, but she can sleep well now.
彼女の同僚のエレナもかつて同じ問題を抱えていたが，今ではよく眠れる。
She told Audrey that the length of sleep was not very important, but the quality
彼女はオードリーに睡眠の長さはあまり重要ではないが，睡眠の質は重要だと
of sleep was. Elena advised Audrey to relax and not to use her smartphone
語った。エレナはオードリーに，リラックスして寝る前にスマートフォンを使わないように
before going to bed. Thanks to her advice, Audrey now can sleep well.
アドバイスした。彼女のアドバイスのおかげで，オードリーは今ではよく眠れるようになった。

Question : What does Audrey do for a living?
オードリーの仕事は何か？

1. **She works for a bank with Elena.**
エレナと一緒に銀行で働いている。
2. She gives advice to people who are in trouble.
困っている人にアドバイスをする。
3. She works for a company which manufactures smartphones.
彼女はスマートフォンを製造する会社で働いている。
4. She used to work for a bank, but she quit.
彼女は以前銀行で働いていたが，退職した。

28

No.10

When you look at the Earth from space, you can see that the Earth is full of
宇宙から地球を見ると，地球が水でいっぱいであることがわかる。
water. However, only 0.01% of water can be easily used by people. Many
しかし，水の0.01%しか人間はかんたんに利用できない。
companies are now trying to develop the technology to change sea water into
現在，多くの企業が，海水を淡水に変える技術の開発に取り組んでいる，
fresh water so that we can use more water resources from the sea. Some of
海からの水資源をより多く利用できるように。いくつかの
the technologies are already in use, but it still costs a lot to use such latest
技術はすでに使用されているが，それでもそのような最新技術を使用するのはコストが
technology. Hopefully, we will be able to make the most of the water from the
かかる。願わくは，近い将来，私たちは海からの水を最大限に活用できるように
sea in the near future.
なることを願っている。

Question : According to the passage, what is the problem?
本文によると，問題は何か？

1. Much water is needed to develop the essential technology.
必要な技術を開発するためには，多くの水が必要である。
2. We have no idea how much water on the Earth can be used.
地球上の水がどれだけ利用できるのか，われわれには見当もつかない。
3. There is no way to use sea water as a water resource.
海水を水資源として利用する方法はない。
4. **It still costs too much to change sea water into fresh water.**
海水を淡水に変えるには，まだ費用がかかりすぎる。

第4章

スピーキング

SPEAKING

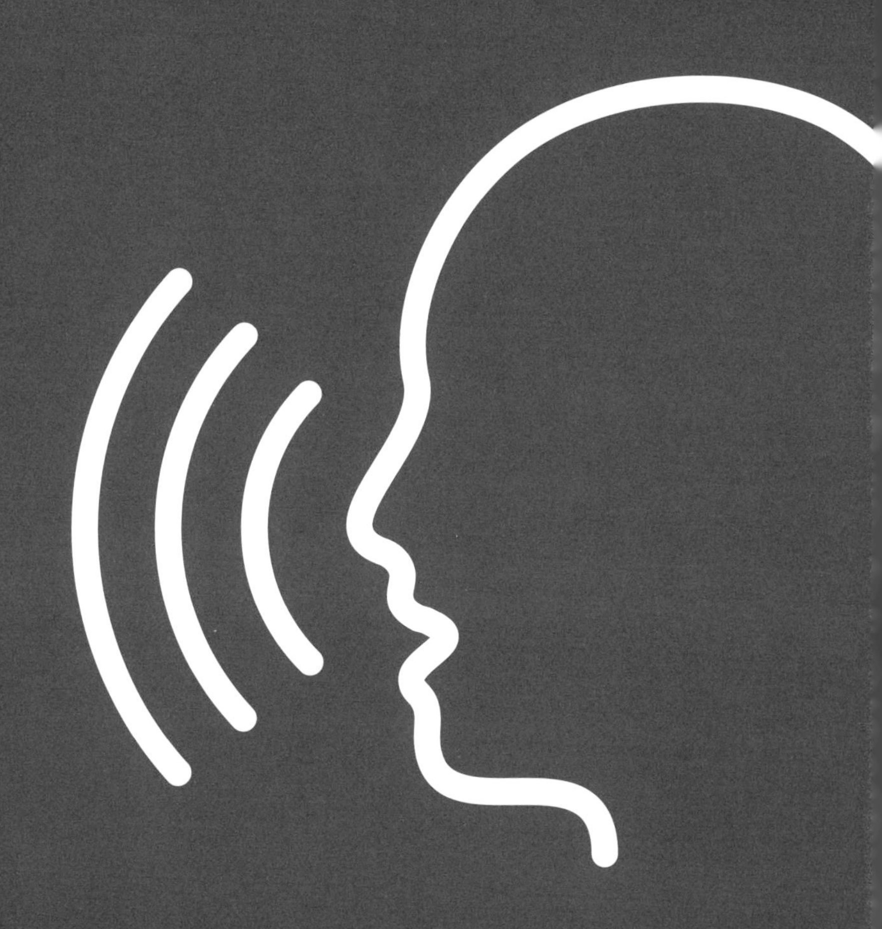

英検 2級

スピーキング　心得

面接試験の手順については、動画をチェック

1　はじめに

スピーキング（面接試験）は、いちばん対策がしにくいセクションです。通常試験では、一次試験合格後に受検しますが、S-CBTでの受験者はリーディングと同じ日の最初に受けます。他のセクションと同時並行で準備を進めてください。スピーキングテストは大きく分けて４パートがあります。

※実際の試験では、本文とイラストの入ったカードが提示されます。

2　音読

1. 音読ではまず、Passage（パッセージ・本文）を20秒間で黙読します。

27　01

面接官：First, please read the passage silently for 20 seconds.
まず，本文を20秒間黙読してください。

Plastic Waste

In the sea, there are lots of small plastic pieces which came from the waste thrown in land. The plastic waste will be crushed into small pieces by waves. The sea will be full of plastic pieces if people keep throwing plastic bottles or plastic bags into the sea. People should stop throwing away such waste, by doing so, people will reduce plastic pieces in the sea.

20秒間で読む練習をしましょう。
知らない単語があっても、止まらず読み進めましょう

2. それから、音読をします。

面接官：Now, please read it aloud.
　　　では，それ（本文）を音読してください。

・準２級の語彙問題レベルの単語をすべて音読できるようにしましょう。

今回なら wave, such, reduce, piece

・読めない単語が出てきても、読み飛ばしたりそこで止まったりせず、ローマ字読みで読みましょう。

今回なら、reduce（リデュース）を「レデュセ」と読む。
正しくはないけれど、その後を読まないよりはましです

・th, l, r, f, v などの日本人が苦手な発音はしっかり練習しましょう。

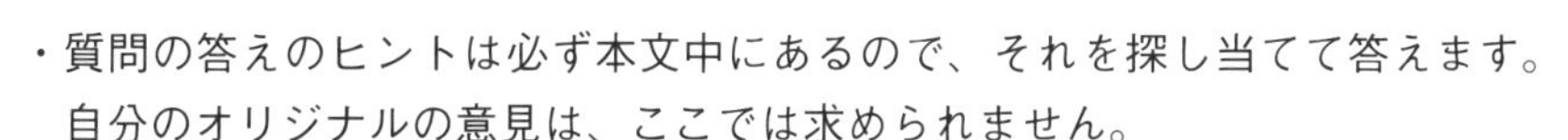

音読した本文についての質問があります。本文を確認して答えます。

28

面接官：No.1 According to the passage, how can we reduce plastic pieces in the sea?　本文によると，海のプラスチック片を減らすにはどうしたらいいのでしょうか？

解答例：By stopping throwing away plastic bottles or plastic bags.
　　　ペットボトルやプラスチック袋など捨てるのをやめる。

・質問の答えのヒントは必ず本文中にあるので、それを探し当てて答えます。自分のオリジナルの意見は、ここでは求められません。
・今回であれば、最終文の People should stop throwing away such waste … reduce plastic pieces in the sea. を見て答えましょう。

ポイントは、3文目を参考にして、such waste（このようなごみ）を plastic bottles or plastic bags に置き換えること。such の示す語句をさがそう

質問が聞き取れなかった場合は、Once again, please. や Could you say that again? などと言ってもう一度言ってもらいましょう。

4 イラスト描写　質問 No.2

提示されたイラストの物語を説明していきます。

29

面接官：No.2 Now, please look at the picture and describe the situation. You have 20 seconds to prepare. Your story should begin with the sentence on the card.
では，絵を見て，状況を説明してください。準備する時間は20秒あります。あなたの話はカードにある文章で始めてください。

Your story should begin with this sentence:

One day, Christy and her friend found a poster for Beach Cleanup.
あなたの話はこの文で始めること：ある日，クリスティと彼女の友達は，海岸清掃のポスターを見つけました。

1マス目

与えられた文章に続いて、イラスト上でクリスティが発しているセリフを続けます。

解答例：She said to her friend, "Let's join this cleanup."
彼女は友達に「この海岸清掃に参加しよう!」と言いました。

2マス目

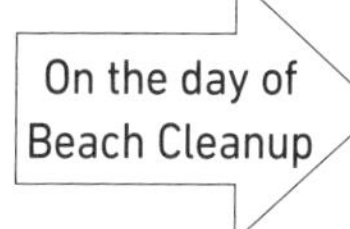

「On the day of Beach Cleanup（海岸清掃の日に）」のような時間経過を表す単語は、必ず読み上げます。そして、登場人物の行動は過去進行形などを使って、すべて説明します。

解答例：On the day of Beach Cleanup, some kids played in the sea. Christy and her friend picked up a lot of waste.
海岸清掃の当日，子どもたちが海で遊んでいました。クリスティーと友だちは，たくさんのごみを拾いました。

3マス目

こちらも同様に、時間経過と登場人物の行動を説明します。

解答例：1 hour later, she saw a boy throwing a plastic bottle in the sea. She was shocked to see him do that.
1時間後，彼女はペットボトルを海に投げ捨てる男の子を見ました。彼女はその姿を見てショックを受けました。

1コマごと順番に、行動・発言・思考・時間の流れを英語で説明していきます。イラストの主人公たちの行動は、すべて説明しましょう。かんたんな英文でもかまいません

5 質疑応答　質問 No.3

提示された本文やイラストとは関係のない質問に答えます。

30

面接官：Now, Mr./Ms. —, please turn over the card and put it down.
では　○○さん，カードを裏返して置いてください。

面接官：No. 3 Some people say that people should stop gorgeous packaging even when they give something as a present. What do you think about that?
プレゼントをするときにも，豪華な包装をやめるべきだという意見があります。あなたはどう思いますか？

・「What do you think about that?」と聞かれたら、自分の意見を求められているので、まずは「I agree.（私は賛成です）」「I think it is good.（良いと思います）」や「I disagree.（私は反対です）」などと答えましょう。

2級では、社会問題について意見を求められることが多いです。難しく考えすぎずに、かんたんな意見を述べます。内容はありきたりの一般論でOKです。自分の本心ではなくてもかまいません

解答例：
I disagree. Presents should be gorgeously packaged to make people happy and amazed. People don't often buy presents, so that doesn't cause so much damage to the environment.
反対です。人々を喜ばせるためにも，プレゼントは豪華に包装されるべきです。人々はそんなにひんぱんにプレゼントを買わないので，さほど環境への悪影響を引き起こしません。

英検の面接試験は、「英語の試験」です。会社や大学の面接試験ではないので、あなたのオリジナリティや人間性が問われるわけではありません。
英語のテストなので、英語できちんと受け答えができるかのみが問われています

6 質疑応答 質問 No.4

No.3 と同様に、提示された本文やイラストとは関係のない質問に答えます。

31

面接官：No.4 Today, many people think that club activities of sports at schools should be stopped. Do you think schools should stop all club activities of sports?

現在，学校でのスポーツの部活をやめるべきだという意見が多くなっています。あなたは，学校ではスポーツの部活動をすべてやめるべきだと思いますか？

・「Do you think ～ ?」と聞かれたら、まずは、Yes. か No. で答えましょう。

解答例：

Yes.（面接官：Why?）

There are many local sports clubs in towns. Students can learn more from professional coaches at those sports clubs than from teachers at school.

町にはたくさんの地元のスポーツクラブがあります。生徒たちは学校の先生よりも，そのようなスポーツクラブのプロのコーチから学ぶことの方が多いです。

環境問題やIT、国際問題、教育や医療について、自分の意見が述べられるように準備しておきましょう。2級の語彙問題で出てくるような難しい単語は無理に使わなくても大丈夫です

No.3 と No.4 の答えは、この2つの例のように、極論でもかまいません。Yes か No、agree か disagree のどちらかに振り切って、話を展開しましょう

準備 問題 解答

レッスン1 スピーキング 使える単語・表現①

使える単語 40 このページを覚えてから問題を解こう。上級者ならこのページを見ずに解こう。

32

according to ～	～によると	pick up	～を拾い上げる
convenient	便利な	piece	一片の
crime	犯罪	possible	可能な
crush	打ち砕く	produce	～を作り出す
customer	顧客	quite	非常に
cyber	サイバー	recently	最近
decrease	～を減らす，減少する	reduce	～を削減する
employee	従業員	search	～を探索する
environment	環境	service	サービス
even though	～にもかかわらず	society	社会
illegal	非合法の	such	こういった
impossible	不可能な	though	～だけれども
in this way	このように	through	～を通して
increase	～を増やす，増える	throw away	～を捨てる
legal	合法の	transportation	輸送
necessary	必要な	trouble	トラブル
nowadays	この頃	useful	有用な
opportunity	機会	useless	むだな
participant	参加者	waste	ごみ
passage	パッセージ	wave	波

レッスン1 音読　質問1

Online Shopping Crimes

Online shopping is very convenient because people do not have to leave home. They can shop at home using the Internet. Nowadays, however, online shopping crimes have been gradually increasing. Online shoppers are targeted by fake stores which do not send products to customers after being paid. The police search for such stores on the Internet, and in this way, they keep online shopping safe.

No.1 33 02

試験中に、もし質問を聞き逃した場合は、考え込まずに Please say that again. や Could you say that again?、Pardon? などと頼みましょう

START
GOAL

1．黙読

34

面接官：Now, please read the passage silently for twenty seconds.
文章を20秒間黙読してください。

黙読の時は、まず頭の中で発音を確認しながら、ひと通り目を通しましょう。今回、20秒間が短いと感じた人は、長文問題や教科書などのテキストで、50語～60語の文章を20秒間で読んでから音読をする練習をしましょう。

今回なら convenient や increasing、customers など発音がわからない単語があったら、とりあえずローマ字読みで乗り切りましょう。読まないよりは読んだ方がいいです

2．音読

面接官：Please read it aloud.
音読してください。

落ち着いてはっきり聞こえる声で、タイトルから読みます。自信のないところで声が小さくならないように注意。元々声が小さい人は、大きな声ではっきり読みましょう。
できるだけ意味のまとまりが面接官に伝わるように読みます。また、コンマやピリオドの後などに短いポーズを置きます。

Online Shopping Crimes
オンラインショッピング犯罪

Online shopping is very convenient because people do not have to leave home.
オンラインショッピングはとても便利です，なぜなら，家を出なくていいからです。
They can shop at home using the Internet. Nowadays, however, online
ネットを使って家で買い物ができます。 しかしながら，近頃，オンライン
shopping crimes have been gradually increasing. Online shoppers are targeted
ショッピングの犯罪が徐々に増えています。 オンラインの買い物客は，
by fake stores which do not send products to customers after being paid.
支払い後にお客に製品を送らないニセモノのお店の標的になっています。
The police search for such stores on the Internet, and in this way, they keep
警察はネット上でそのような店を探し， そしてこのようにして，
online shopping safe.
オンラインショッピングの安全を守っています。

START

GOAL

第1問

35

面接官：Question No. 1
According to the passage, how do the police keep online shopping safe?
本文によると，警察はどのようにオンラインショッピングの安全を守っているのか？

解答例：
By searching for the stores on the Internet which do not send products to customers (after being paid).
お客に（支払い後）商品を送らないお店をネット上でさがすことで。

第1問は "According to the passage"（本文によると）で始まります。直後の疑問詞を聞き逃さないよう注意します。

how で問われた場合、文中から、in this way や by doing so という表現を探します。多くの場合、特に直前の部分が答えです。ここでは最後の文 The police search for such stores on the Internet, and in this way, they keep online shopping safe.　がターゲットです。

such stores を具体的にするのも大事！

レッスン2 スピーキング 使える単語・表現②

使える単語 20

このページを覚えてから問題を解こう。上級者ならこのページを見ずに解こう。

36

brought	持ってきた	prepare	〜を整える
correct	正しい	received	受け取った
delivered	配達された	said	言った
delivery	配達	sentence	文
describe	〜を描く	should	〜しなければならない
fed	えさを与えた	sold	売れた
fixed	固定された	suggested	示唆した
if	〜かどうか	thought	考え
looked 〜	〜のように見えた	threw away	投げ捨てた
picked up	拾得した	too	〜も

使える表現 10

be concerned about -ing	〜に関心を持つ
be disappointed with	〜に失望する
be looking forward to	〜を楽しみに待つ
be satisfied with	〜に満足する
be worried about	〜に思い悩む
gave up -ing	〜を諦める
in order to	〜を（する）ように
no longer	もはや〜ない
on the other hand	一方で
prevent A from -ing	Aが〜するのを防ぐ

イラスト描写では動詞の過去形をよく使うよ

レッスン 2 質問2

Your story should begin with this sentence:

Mr. and Ms. Morita found a website which sold nice shirts at a discount price, so Mr. Morita bought one.

No. 2 37 03

第 2 問はカードに描かれたイラストを見て、その内容を描写する問題です

38

面接官：Question No. 2

Now, please look at the picture and describe the situation. You have 20 seconds to prepare. Your story should begin with the sentence on the card.

では，絵を見て状況を説明してください。準備する時間は20秒あります。あなたの話はカードに書かれた文で始められるべきです。

解答例：

Mr. and Ms. Morita found a website which sold nice shirts at a discount price, so Mr. Morita bought one.

モリタ夫妻は割引価格ですてきなシャツを売っているウェブサイトを見つけたので，夫が1つ買った。

On the next day, a delivery staff brought the shirt in the box to their house.

次の日，配達員が彼らの家に箱に入ったシャツを届けた。

Ms. Morita received it and Mr. Morita looked happy.

2つ目の絵のモリタ夫妻の様子

妻がそれを受け取り，夫はうれしそうだった。

After opening the box, he tried the shirt on, but it was too big for him.

3つ目の絵の夫の様子

箱を開けた後に夫はシャツを着てみたが，彼には大きすぎた。

Ms. Morita checked the website again if the size was correct.

妻はウェブサイトでサイズが正しかったかどうか再度確認した。

3つ目の絵の妻の様子

第2問では、イラストの様子を描写します。
1つの絵に対し、1～2文ずつくらいで説明しましょう。このとき、「どの人物の様子なのか」主語を明らかにしておくのが重要です。

準備　問題　解答

START

GOAL

レッスン3 スピーキング　使える単語・表現③

使える単語 20

このページを覚えてから問題を解こう。上級者ならこのページを見ずに解こう。

39

achieve	～を成し遂げる
agree	～に賛成する
cooperate	～に協力する
disagree	～に反対する
donate	～に寄付する
ecofriendly	環境にやさしい
ecosystem	生態系
effective	効果的な
generation	世代
issue	課題
less	より少なく
product	製品
reasonable	適正な
save	～を救う
social	社会的な
solution	解決策
solve	～を解決する
strict	厳しい
unfortunately	残念ながら
unreasonable	不適正な，不合理な

使える表現 10

be in trouble with ～	～で困っている
generally speaking	一般的に言えば
had better ～	～した方が良い
in my opinion,	私の意見では，
more and more	ますます
out of control	制御できない，手が付けられない
rather than ～	～よりもむしろ
such as ～	例えば～など
thinking globally,	世界的な視野で（グローバル）に考えると，
to be honest	正直に言うと

レッスン3 質問3・4

No. 2 が終わり、“Now, Mr./Ms. —, please turn over the card and put it down.” と指示されたら、カードを裏返して次の質問を待ちます。

No. 3　No. 4　40　04

第3問と第4問では、カードを裏返して自分の考えや意見を述べること（質疑応答）が求められます。面接官とアイコンタクトを取りながら、はっきり答えましょう

準備　問題　**解答**

41

面接官：Question No. 3
Some people say that they do all their shopping online. What do you think about that?
すべての買い物をオンラインでするという人もいます。それについてどう思いますか？

解答例

賛成の場合

— I agree. If I can buy anything online, I can save time. I can spend more time for other things such as studying, reading, and cleaning.

具体的な例を挙げる

賛成です。何でもオンラインで買えるなら時間を節約できます。より多くの時間を，勉強，読書，掃除など他のことに使うことができます。

反対の場合

理由を述べる

— I disagree. I want to check the products before I buy. I want to touch and look at the products directly even though it takes some time.

反対です。買う前に製品を確認したいからです。時間がかかるとしても直接製品を触って見たいです。

第 3 問では、学校生活や社会現象についての受験者の意見を求められます。自分の意見を求められているので、まずは「I agree.（私は賛成です）」「I think it is good.（良いと思います）」や「I disagree.（私は反対です）」などと答えましょう。

内容はありきたりな一般論で OK です。あくまで英語力のテストなので、自分の本心でなくてもかまいません。自分が英語で言いやすい意見を言いましょう。

42

面接官：Question No. 4

Today, many people think that the school rules in some schools are too strict. Do you think the school rules should be less strict?

今日では，一部の学校の校則が厳しすぎると多くの人が思っています。校則は厳しくなくするべきだと思いますか？

（Yes に対して）Why?　なぜそう思うのですか？

（No に対して）Why not?　なぜそう思わないのですか？

「Do you think ～？」と聞かれたら、まずは、Yes. か No. で答えましょう

解答例

Yes. → Why?　に対して

— There are some very strict rules and I don't understand why those rules were decided. Those unreasonable rules should be changed.

強い意見を言うときに should を使う

とても厳しい校則があり，その校則がなぜ決められたのかわからないです。そのような理不尽な校則は変更されるべきです。

No. → Why not? に対して

仮定法を使い，「校則がなかったらどうなるか」を述べている

— Teachers need to control students with strict rules. If they didn't have strict rules, students would be out of control. Strict school rules are necessary for both teachers and students.

先生は厳しい校則で生徒を制御する必要があります。厳しい校則がないと，生徒は手がつけられなくなります。厳しい校則は先生にも生徒にも必要です。

第4問も、第3問と同様に、カードに書かれた英文と関係のない事柄について、意見を求められます。環境問題やＩＴ、国際問題、教育や医療について、自分の意見が述べられるように準備しておきましょう。

賛成、反対の立場を途中で変えないことが重要です

準備　問題　解答

模試直前　単語リスト 100

このページを覚えてから模試を解こう。上級者ならこのページを見ずに解こう。

43

a piece of ～	熟	1枚の～，一片の
absorb	動	吸収する
addicted to ～	動	～に依存する
adopt	動	～を採用する
annual	形	年に一度の
apart	副	離れて
as soon as possible	熟	できるだけ早く
attitude	名	態度
be familiar with ～	熟	～に詳しい
become fed up with ～	熟	～に飽きる
beforehand	副	事前に
carbon	名	カーボン，炭素
cash	名	現金
color	動	～に色を付ける
committee	名	委員会
commute	動	通勤する
control	動	～を管理する
crop	名	穀物
currently	副	現在
decorate	動	～を装飾する
destruction	名	破壊
detail	名	詳細
digital	形	デジタルの

disagree	動	～に反対する
discovery	名	発見
dislike	動	～が嫌いである
ecofriendly	形	環境にやさしい
ecosystem	名	生態系
emission	名	排出量
emit	動	～を排出する
equipment	名	備品
fail	動	試験に落ちる，失敗する
farmer	名	農家
fear	動	～を恐れる
flood	動	～を氾濫する
found	動	～を設立する
founder	名	創設者
fully	副	十分に
gain attention	熟	注目を集める
generation	名	世代
get along well with ～	熟	～と仲良くなる
get in touch with ～	熟	～に連絡する
global warming	名	地球温暖化
hide	動	～を隠す
hire	動	～を雇う
huge	形	巨大な

START

GOAL

in cash	熟	現金で
in nature	熟	自然界で
individual	名	個人
initial	形	初期の
inside out	熟	裏表で
instinct	名	本能
intentionally	副	意図的に
It sounds good.		いいですね。
keep in touch	熟	連絡をとる
keep talking to oneself	熟	独り言を言い続ける
launch	動	～を立ち上げる
lightning	名	照明
lockdown	名	ロックダウン
make up for ～	熟	～の埋め合わせをする
melting pot	名	るつぼ
messy	形	散らかって
metal	形	金属の
microwave	名	電子レンジ
minimize	動	最小限にする
miss	動	～に乗り遅れる
name after ～	熟	～にちなんで名づけられた
no one is sure if ～	熟	誰も～かどうかわからない
overtime	名	残業
pandemic	名	パンデミック
payment	名	支払い
perfect	形	完璧な
photosynthesis	名	光合成

presentation	名	プレゼンテーション
put ～ back	熟	～を戻す
rate	名	率
receipt	名	レシート
reduction	名	値引き
repair	動	～を修理する
research on ～	熟	～の研究をする
restock	名	再入荷
seashore	名	海岸
security	名	セキュリティ
several	形	いくつかの
shift	動	ずれる
shipment	名	出荷
shipping fee	名	送料
solar	形	太陽の
steal	動	～を盗む
stew	動	～を煮込む
stock	名	在庫
straw	名	ストロー
take a nap	熟	仮眠をとる
That's too bad.		それは気の毒に。
the latest issue	名	最新号
trap	動	～を閉じ込める
tropical	形	熱帯の
unrealistic	形	非現実的な
we're sorry to say that		残念ながら～と言う。
What's wrong?		どうしたの。

第5章

模擬テスト

TEST

試験時間
- 筆記（リーディング・ライティング）……………… 85分
- リスニング……………………………… 約25分
- スピーキング…………………………… 約7分

本番のつもりで時間を計りながらチャレンジ！
試験の順序は従来型とS-CBTで異なるので6ページで確認しよう

1

次の(1)～(20)までの（　　）に入れるのに最も適切なものを 1，2，3，4 の中から 1 つ選び，その番号を○で囲みなさい。

(1) Never has he (　　) others in any situation, even at times when he was angry or upset.

1 distinguished　　2 desired
3 insulted　　4 confirmed

(2) Our teacher told us not to (　　) to ask questions at school so that we wouldn't have any problems doing our homework by ourselves.

1 tend　　2 overlook
3 respond　　4 hesitate

(3) George wants to see the (　　) to ask if he can take his class next year.

1 participant　　2 employee
3 professor　　4 author

(4) Matt is a chef and usually drives to his restaurant. He (　　) takes the bus to commute, but he did today as his car didn't work.

1 normally　　2 nearly
3 rarely　　4 mainly

(5) It is always the day before an exam that I find that my room is (　　) and start cleaning.

1 messy　　2 curious
3 rude　　4 typical

(6) A: Have you talked with Ray about the error he made?
B: Yes, he (　　　) that it was because he was careless.

1 admitted　　2 observed
3 persuaded　　4 calculated

(7) Richard wouldn't have sent you such a message if he had not been (　　　) of your report.

1 guilty　　2 suspicious
3 capable　　4 emotional

(8) Having learned about (　　　), Amy can now apply for the new position at the bank.

1 distinction　　2 investment
3 burden　　4 attraction

(9) In case of a tornado, we should go into the building and head to the shelter located in the (　　　).

1 impact　　2 trial
3 basement　　4 emergency

(10) Donating money is one of the (　　　) for dealing with the problem of poverty around the world.

1 solutions　　2 clothes
3 patterns　　4 branches

(*11*) Once several leaves start ( ), all you have to do is place it in the sun and water it. Then, you can enjoy the plant for a few years.

1 selling out
2 going into
3 coming out
4 calling off

(*12*) We can dig holes in the ground ( ) 5 meters deep with this machine.

1 to the point
2 up to
3 far from
4 rather than

(*13*) All the country's leaders ( ) a peaceful world without wars, and work hard to realize that dream.

1 rule out
2 look over
3 long for
4 major in

(*14*) The train, which was delayed ( ) the strong wind, arrived at Central Station 1 hour behind schedule.

1 by nature
2 owing to
3 in honor of
4 thanks to

(*15*) As she knew the exact cause of her headaches, she now can ( ) them through proper medical treatment.

1 deal with
2 call in
3 drop in
4 go with

(*16*) If the inappropriate part had not been (　　　) frequently, it would have remained unchanged.

1 broken up　　2 brought back
3 pointed out　　4 got over

(*17*) A: Look at this! I found a website which you can buy a SOC TECH computer at a low price.

B: I think it is (　　　) "a fake website." Nowadays, many people are deceived by fake ones.

1 from now on　　2 what is called
3 inside out　　4 in vain

次の英文A，Bを読み，その文意にそって（*18*）～（*23*）までの（　　）に入れるのに最も適切なものを1，2，3，4の中から1つ選び，その番号を○で囲みなさい。

Samarkand

Samarkand is a city located in Uzbekistan. Some evidence shows that people started to settle down in this area around 1,500 BC. Since then, it has become one of the most important cities in Asia. (*18*), it was once the crossroad of the Silk Road where various people met. The name Samarkand means "the place where people meet." This melting pot of different cultures, however, was once invaded by Genghis Khan in the thirteenth century. (*19*), it was completely destroyed. Then, in the fourteenth century, Timur, the founder of the Timurid Empire, restored this great city with the latest technology at the time. Now it is sometimes called the "Blue Capital" because of the beautiful blue tiles on the historical buildings.

In 2001, this city was registered as one of the World Heritage Sites to protect this beautiful place. Every year, a lot of tourists come to this city to enjoy its beautiful, historical sights. As this city was founded in an oasis in the desert, the difference of temperature between summer and winter is huge. Therefore, the best season to visit is spring or autumn. Mosques and temples attract many tourists. The buildings, which are decorated with beautiful, blue tiles, (*20*). Another attractive place in Samarkand is the markets. Not only various kinds of food but also clothing and souvenirs are sold there. When tourists see the Arabic spices, Russian piroshkis, and Korean kimchi sold at the same place, they can experience and feel the signs of the crossroad of Silk Road.

(*18*) 1 Chosen as the best city
2 Predicted in an old book
3 Compared with other cities
4 Located in a large oasis

(*19*) 1 On the contrary
2 For the time being
3 As a result
4 So far

(*20*) 1 have waited to be popular
2 are worth visiting
3 have been forgotten
4 are now too old to enjoy

2B

Calendars

A calendar is one of the things we can't live without. Having a common calendar is essential for people around the world to share the same concept of days and months. Then, (*21*) , who made the calendar?

The first calendar is said to have been made in Egypt around 3000 BC. People living in Egypt at that time first noticed the Nile River flooded when they saw the star Sirius in the east. Next, they noticed that this moment came about every 365 days. Egyptian people made the Egyptian calendar (*22*) . Thanks to this calendar, farmers could manage their work such as when to plant seeds and when to pick.

This Egyptian calendar, however, was not accurate as a year contained only 365 days. Other calendars were made, but none of them were accurate. Then, in 46 BC, Julius Caesar made a new calendar. In this calendar, a year contained 365.25 days and had a leap year once every four years to adjust. This calendar is called the Julius Calendar and was used for more than 1,600 years.

However, even the Julius Calendar (*23*) . Every 128 years, the calendar shifted one day. This error made the date of Easter shift, which was a serious problem for Christians. So, in 1579, the Pope of that time launched a committee to make a new accurate calendar, and finally in 1582, the Gregorian Calendar, named after the Pope of that time, began to be used. This is the calendar that most of the people in the world currently use.

(*21*)
1 in the first place
2 in the meantime
3 what is called
4 on the whole

(*22*)
1 kept secret for years
2 written in Egyptian
3 based on this fact
4 used only by farmers

(*23*)
1 predicted the future
2 was found inaccurate
3 vanished after many years
4 was changed by power

3A 次の英文A, B, Cの内容に関して，(*24*) ～ (*31*) までの質問に対して最も適切なもの，または文を完成させるのに最も適切なものを1, 2, 3, 4の中から1つ選び，その番号を○で囲みなさい。

From: Mountain Camping Shop
To: Jennifer Miller
Date: June 14
Subject: Thank you for shopping with us

Dear Ms. Jennifer Miller,

Thank you for shopping at Mountain Camping Shop's online store on June 12. Your order includes 1 medium size Mountain Tent, 1 Wooden Table, and 4 Comfy Chairs in green. As for the tent and the table, we have them in stock. However, we're sorry to say that we only have 2 Comfy Chairs in green left in stock. We apologize that we couldn't tell you about our stock when you ordered online.

We have no idea when the Comfy Chairs in green will be available again. We can just cancel your order for the chairs if you don't need them right away. If you do need chairs, we can offer you two options. If you can wait until they are back in stock, we can send you two chairs now and will send the remaining two when we get them. The shipping fee will be free for both shipments.

If you would like to buy a different kind of chair, we have a variety of camping chairs at our shop. You are always welcome at our shop on Hampton Street or you can order online again. If you find some chairs you like, we will send them with the tent and the table, and you don't need to pay a shipping fee. In that case, we will also offer a 5% discount on all of your purchases.

We are very sorry for the inconvenience and look forward to your reply.

Regards,
Mountain Camping Shop

START

(*24*) On June 12, Jennifer Miller

1 received an email from Mountain Camping Shop.
2 ordered two Comfy Chairs in green.
3 went to the shop to purchase camping equipment.
4 shopped online at the Mountain Camping Shop.

(*25*) If Jennifer wants to get 4 Comfy Chairs, what should she do?

1 She should wait until the shop checks its stock.
2 She should pay the shipping fee to send them to her.
3 She should wait until they are restocked.
4 She should go to the shop on Hampton Street.

(*26*) What will the shop do if Jennifer buys other chairs?

1 They will give her a 5% reduction in prices for her purchases.
2 They will send an email explaining the details of the discount.
3 They will give her a Wooden Table for free.
4 They will ask her to come to the shop to pick them up.

GOAL

3B

The Luddite Club

If you visit Prospect Park in New York on Sunday, you can see a group of high school students gathering in one place. They don't force themselves to do the same thing at the same time. They spend their time freely. Some of them read books. Some of them paint. Some of them just talk, insisting how awful their parents are. They look exactly like other high school students, but there is one thing other students do and they don't; use their smartphones. They are the members of a club called the "Luddite Club" and they come to this place every Sunday. "No Smartphones" is the only rule of this club. As they don't use their smartphones, they don't keep in touch online. Under any weather condition, they meet in this park on Sundays because there is no way for them to get in touch with each other.

The name "Luddite" comes from the Luddite movement started in the 1810s in England. This movement is said to be named after the leader of the movement, Ned Ludd, though no one is sure if he really existed. During the Industrial Revolution, handcraft professionals from textile factories destroyed machines, fearing that they might lose their jobs. Logan Lane, a high school student in New York and a founder of the club, named the club after this movement. The members of the club do not actually destroy smartphones, but they keep themselves away from them.

Logan once used her smartphone heavily like other high school students. She took photos of herself, posted them on social media, and clicked the "like" button on the posts made by her friends. Then, during the lockdown due to the COVID-19 pandemic, she used too much social media and became fed up with it. She put her phone back in the box and didn't touch it. One day, when she joined a party, she met Jameson Butler. What they had in common was that neither of them had their smartphones. They got along well with each other soon and decided to found the Luddite Club.

In fact, the number of the students who belong to this club is not so large. However, there are adults who find the idea interesting. Most adults spent their high school lives without smartphones. They used to check dictionaries or books when they found something they didn't know or understand. They had to remember the way if they wanted to drive to a place they had never been to. Now, they check everything using smartphones and some of them are even addicted to them. It may be important for not only high school students but also for people from all generations to intentionally stay away from their smartphones once in a while.

(27) Even when it's rainy, the members go to the park because

1 they have no way to know if the meeting is cancelled or not.
2 they don't care if they get wet or feel uncomfortable.
3 it is the only rule they have to follow.
4 there is no other place for them to go.

(28) The Luddite movement was started by handcraft professionals who

1 wanted to get people's attention to become famous.
2 thought that machines were not necessary for the factories.
3 were worried that their boss might not hire them anymore.
4 tried to show people that machines were not useful.

(29) Before founding the club, Logan

1 did everything to make herself famous.
2 put her smartphone back in the box once a day.
3 used to be a typical student who loved social media.
4 disliked other students who used social media quite often.

(30) Logan and Jameson became good friends because

1 they both thought social media was good for students.
2 they both didn't want to join the party.
3 they communicated with each other using social media.
4 they shared the same idea about smartphones.

(31) Which of the following statements is true?

1 Once you join the Luddite Club, it is difficult to quit.
2 The members of the club must be good readers.
3 Logan asked many students to join the club and succeeded.
4 Some adults are interested in the Luddite Club.

4 ライティング（英文要約）

ライティングテストは，2つ問題（4と5）があります。忘れずに，2つの問題に解答してください。この問題は英文要約解答欄に解答を記入してください。

- 以下の英文を読んで，その内容を英語で要約し，解答欄に記入しなさい。
- 語数の目安は45語～55語です。
- 解答は，右の英文要約解答欄に書きなさい。なお，解答欄の外に書かれたものは採点されません。
- 解答が英文の要約になっていないと判断された場合は，0点と採点されることがあります。 英文をよく読んでから答えてください。

When people want to learn something new, some of them attend face-to-face workshops or classes at schools. Others hire tutors to receive individual private lessons. Nowadays though, people are increasingly choosing to learn through online courses.

By signing up for online courses, people can easily find teachers from all over the world that offer lessons which fit into their busy schedules. Furthermore, people can easily and conveniently attend these courses from home using their own smartphones or personal computers, so they don't need to spend extra time or money going anywhere.

Regardless, learning through online courses has its negative points. People who attend online courses cannot easily have group discussions or ask questions to other students, which is one important way to learn. Moreover, it is harder for teachers to observe their students. Making sure students understand and follow the content is difficult when teachers cannot see their students face-to-face.

英文要約解答欄

5

10

15

ライティングテストは，２つ問題があります。忘れずに，２つの問題に解答してください。

5 ライティング（英作文）

ライティングテストは，２つ問題（4と5）があります。忘れずに，２つの問題に解答してください。この問題は英作文解答欄に解答を記入してください。

- 以下の TOPIC について，あなたの意見とその理由を２つ書きなさい。
- POINTS は理由を書く際の参考となる観点を示したものです。ただし，これら以外の観点から理由を書いてもかまいません。
- 語数の目安は 80 語～ 100 語です。
- 解答は，右の英作文解答欄に書きなさい。なお，解答欄の外に書かれたものは採点されません。
- 解答が TOPIC に示された問いの答えとなっていない場合や，TOPIC からずれていると判断された場合は，0 点と採点されることがあります。TOPIC の内容をよく読んでから答えてください。

TOPIC

Some people say that we should stop using cash and use cashless payments instead. Do you agree with this opinion?

POINTS

- ***Convenient***
- ***Security***
- ***Elderly***

英作文解答欄

リーディング・ライティング終わり。リスニングの音声を準備して下さい。

6 リスニングテスト 44

模擬テストのリスニング音声は１つのトラックにまとめています。
途中で止めずに試験の雰囲気を体験しましょう。
試験時間は約 25 分です。

このリスニングテストには，第１部と第２部があります。

★英文はすべて一度しか読まれません。

第１部…対話を聞き，その質問に対して最も適切なものを１，２，３，４の中から１つ選びなさい。

第２部…英文を聞き，その質問に対して最も適切なものを１，２，３，４の中から１つ選びなさい。

第１部

No. 1

1 To tell him that the new comic book is interesting.
2 To ask him to buy another comic.
3 To tell him that she has a new comic book.
4 To ask him where he bought the comic book.

No. 2

1 Sandwich with extra ham.
2 Sandwich without tomatoes.
3 The second most popular dish.
4 A cup of tea.

No. 3

1 Katie's father helped her draw it.
2 It is a painting of a lake.
3 Katie's art teacher didn't like it.
4 Katie bought the painting.

No. 4

1 She doesn't know if Daniel is hungry.
2 She wonders if the musical will finish on time.
3 She doesn't eat spicy food.
4 She has never been to Mexico.

START

No. 5
1. Prepare the presentation for the meeting.
2. Work as a volunteer to help kids at school.
3. Attend the meeting on Friday.
4. Send the presentation to his boss.

No. 6
1. Another player bumped into him.
2. He hadn't played soccer for 2 weeks.
3. He got hurt and broke his toe.
4. The ground was slippery due to rain.

No. 7
1. It was moved to the second floor.
2. It closed last month.
3. It is now on the first floor.
4. It became the largest shop.

No. 8
1. The result sent to Alex was wrong.
2. The result of the data analysis was lost.
3. The meeting was too long.
4. The system didn't work.

No. 9
1. She and Tony have a friend in common.
2. She and Tony went to the same school.
3. Tony was a teacher at her school.
4. She played basketball with Tony.

No. 10
1. They can be sold only at supermarkets.
2. They taste better than standard apples.
3. They can be bought for a low price.
4. They are the best apples for baking pies.

GOAL

No. 11
1 To take her niece to the zoo.
2 To do some research with the zoo staff.
3 To collect information about animals.
4 To enjoy herself like a small child.

No. 12
1 Go to Green Forest Store.
2 Go to Top Hill Mart.
3 Go home without shopping.
4 Run back home.

No. 13
1 He had a cold, so he went to bed early.
2 He tried to study, but he fell asleep.
3 He was sleepy, but he studied hard.
4 He studied math instead of science.

No. 14
1 It is his daily routine to use the stairs.
2 All of the elevators stopped working.
3 He didn't want to wait to take an elevator.
4 He wanted to repair the elevators.

No. 15
1 The new player on the local baseball team.
2 The new stadium built this year.
3 The new member of their baseball team.
4 The new writers for the local newspaper.

START

第2部

No. 16

1 She asked him to be the manager.
2 She decided to hire him at her coffee shop.
3 She introduced him to a new employee.
4 She would raise his salary.

No. 17

1 The temperature of the café.
2 The attitude of the staff at the café.
3 The temperature outside the café.
4 The amount of time she had.

No. 18

1 She liked the movie very much.
2 She couldn't enjoy the movie because of the impolite man.
3 The seat on which she sat was wrong.
4 The story was too difficult to understand.

No. 19

1 He has many reports to finish in 3 hours.
2 He has only one day to write his report.
3 He doesn't have much time to finish his report.
4 He has already failed the class.

No. 20

1 Chocolate drinks were invented in the 19th century.
2 Modern people started to eat it with milk.
3 It was a kind of spice from around 5,000 years ago.
4 It was a liquid drunk only by rich people.

No. 21

1 The content of the performance will be changed.
2 The performance was postponed till the next day.
3 They have to wait until the lighting system is fixed.
4 The drinks in the lobby are always free.

GOAL

No. 22
1 Tell his daughter about the festival.
2 Buy a guitar in Roseville Park.
3 Enjoy the jazz festival.
4 Go to the gym to work out.

No. 23
1 The orchestra didn't play classical music.
2 His friend told him that the orchestra was the best.
3 He noticed that classical music was boring.
4 The concert was not what he had expected.

No. 24
1 AI which gives useful information to them.
2 The data on some diseases which crops might spread.
3 Some other industries which use AI.
4 The robots that help them pick their crops.

No. 25
1 He couldn't get off the train at West Station.
2 He overslept and got lost around West Station.
3 He didn't know what time the meeting started.
4 He was not sure where to go.

No. 26
1 The computer she liked was too expensive.
2 She couldn't find a good computer.
3 The computer shop was closed.
4 The computer she liked was sold out.

No. 27
1 Some pigeons could learn to fly to specific places.
2 It worked with the help of the telephone system.
3 People trained pigeons to carry messages.
4 People fully utilized the instinct of pigeons.

No. 28
1. He can enjoy the meal cooked by microwave.
2. He can't watch TV while eating a meal.
3. The food tastes better at a camping site.
4. It is possible for him to take a lot of time.

No. 29
1. To hope that all customers can enjoy the mall.
2. To inform customers that the closing time changed.
3. To introduce some shops in the East Wing.
4. To announce that the annual check was finished.

No. 30
1. We have to pay attention to the news about earthquakes.
2. Initial behaviors after earthquakes are the most important.
3. We should try to predict when earthquakes will occur.
4. In case of an earthquake, we should be ready all the time.

リスニング終わり。スピーキング動画の準備をして下さい。

7 スピーキングテスト 45 05

Reusable Straws

Plastic waste has become one of the most serious environmental problems. Recently, coffee shops and restaurants have been trying to reduce this waste by replacing plastic straws. Nowadays, there are reusable metal straws that do not cause environmental problems. Some companies provide such straws to their customers, and by doing so, they can help make the environment better for future generations.

Your story should begin with this sentence:

Maria and her friend Bob were looking for a place to take a rest.

模擬テスト
解答・解説

ANSWERS & EXPLANATIONS

解答解説 | 1 リーディング

倒置

(*1*) Never has he (**insulted**) others in any situation, even at times [when he was angry or upset].

彼はいかなる状況においても，決して他の人を侮辱(ぶじょく)したことはない，たとえ彼が怒ったり動揺したりしていたときでも。

1	distinguished ～を区別した	2	desired ～を強く望んだ
3	**insulted** ～を侮辱(ぶじょく)した	4	confirmed ～を確認した

(*2*) Our teacher told us not to (**hesitate**) to ask questions at school so that [we wouldn't have any problems doing our homework by ourselves].

先生は私たちに，学校では質問することをためらわないようにと言った，宿題を自分でやるのに困らないように。

1	tend (tend to) ～しがちである	2	overlook ～を見落とす
3	respond 答える	**4**	**hesitate** ためらう

(*3*) George wants to see the (**professor**) to ask [if he can take his class next year].

ジョージは来年，彼の授業を受けることができるかどうかたずねるために，教授に会いたがっている。

1	participant 参加者	2	employee 従業員
3	**professor** 教授	4	author 作家

(*4*) Matt is a chef and usually drives to his restaurant. He (**rarely**) takes the bus to commute, but he did today as his car didn't work.

マットはシェフでふだんレストランまで車で行く。彼はめったに通勤するためにバスに乗らないが，今日は車が故障していたのでそうした(バスに乗った)。

1	normally ふつうは	2	nearly ほとんど
3	**rarely** めったに～ない	4	mainly 主に

強調構文

(5) It is always the day before an exam [that I find that my room is (messy) and start cleaning].

自分の部屋が散らかっていることに気づいて掃除し始めるのは，いつも試験の前日だ。

1	**messy** 散らかって	2	curious 好奇心のある
3	rude 失礼な	4	typical 典型的な

(6) A: Have you talked with Ray about the error [he made]?

レイと，彼がやってしまったミスについて話した？

B: Yes, he (admitted) 〈that it was because he was careless〉.

うん，彼は自分の不注意が原因だと認めたよ。

1	**admitted** ～を認めた	2	observed ～を観察した
3	persuaded ～を説得した	4	calculated ～を計算した

仮定法過去完了

(7) Richard wouldn't have sent you such a message if he had not been (suspicious) of your report.

もし彼があなたの報告を疑っていなければ，リチャードはそんなメッセージをあなたに送ってこなかっただろうに。

1	guilty 有罪の	**2**	**suspicious** 疑わしい
3	capable 能力がある	4	emotional 感情的な

分詞構文

(8) Having learned about (investment), Amy can now apply for the new position at the bank.

投資について学んだので，エイミーは今や銀行の新しい役職に応募できる。

1	distinction 区別	**2**	**investment** 投資
3	burden 負担	4	attraction 魅力

(9) In case of a tornado, we should go into the building and head to the shelter [located in the (basement)].

竜巻が発生した場合は，建物の中に入り地下にあるシェルターへ向かうべきだ。

1	impact 衝撃	2	trial 裁判
3	**basement** 地下	4	emergency 緊急事態

(*10*) Donating money is one of the (solutions) for dealing with the problem of poverty around the world.

お金を寄付することは世界の貧困問題に対する解決策の１つだ。

1 solutions 解決策 2 clothes 衣服
3 patterns パターン 4 branches 枝

(*11*) Once several leaves start (coming out), all [you have to do] is place it in the sun and water it. Then, you can enjoy the plant for a few years.

いったん葉が何枚か出てきたら，あなたがやるべきことは日なたに置いて水をやるだけだ。そうすれば，数年間はその植物を楽しめるだろう。

1 selling out ～を売り切る 2 going into ～を詳しく説明する
3 coming out 現れる 4 calling off ～を中止する

(*12*) We can dig holes in the ground (up to) 5 meters deep with this machine.

この機械で，地面に深さ５メートルまで穴を掘ることができる。

1 to the point (to the point of)（程度などが）～まで
2 up to ～まで，最大で～まで
3 far from ～から遠くに
4 rather than ～よりむしろ

(*13*) All the country's leaders (long for) a peaceful world without wars, and work hard to realize that dream.

すべての国の指導者は戦争のない平和な世界を望んでおり，その夢を実現するために懸命に努力している。

1 rule out ～を除外する 2 look over ～を調べる
3 long for ～を望む 4 major in ～を専攻する

(*14*) The train, [which was delayed (owing to) the strong wind,] arrived at Central Station 1 hour behind schedule.

その列車は強風のために遅れたのだが，予定より1時間遅れで中央駅に到着した。

1	by nature　生まれつき	2	**owing to**　〜のために，〜が原因で
3	in honor of　〜に敬意を表して	4	thanks to　〜のおかげで

(*15*) As [she knew the exact cause of her headaches,] she now can (deal with) them through proper medical treatment.

正確な頭痛の原因を知ったので，彼女は適切な治療を通じて頭痛に対処できるようになった。

1	**deal with**　〜に対処する	2	call in　〜を呼ぶ
3	drop in　立ち寄る	4	go with　〜と調和する

(*16*) If [the inappropriate part had not been (pointed out) frequently,] it would have remained unchanged.

もし不適切な部分を頻繁に指摘されなければ，それはそのまま変わらなかっただろう。

1	broken up　終わった	2	brought back　〜を思い出させた
3	**pointed out**　指摘した	4	got over　〜を克服した

(*17*) A: Look at this!　I found a website [which you can buy a SOC TECH computer at a low price].

これを見て！SOC TECH のコンピュータが格安で買えるサイトを見つけたよ。

B: I think it is (what is called) "a fake website."　Nowadays, many people are deceived by fake ones.

いわゆる「偽サイト」だと思うよ。最近多くの人が偽物にだまされているんだ。

1	from now on　これからは	2	**what is called**　いわゆる
3	inside out　裏表で	4	in vain　無駄に

Samarkand

サマルカンド

Samarkand is a city [located in Uzbekistan]. Some evidence shows that people
サマルカンド　ウズベキスタンに位置する都市　証拠
started to settle down in this area around 1,500 BC. Since then, it has become one
定住する　＝サマルカンド　紀元前1500年頃　それ以来，それ（＝サマルカンド）は
of the most important cities in Asia. **18** (Located in a large oasis), it was once
アジアで最も重要な都市の１つとなった。　（サマルカンドは）（大きなオアシスに位置していたので），
the crossroad of the Silk Road [where various people met]. The name Samarkand
かつてはさまざまな人々が出会うシルクロードの十字路であった。　サマルカンドという名は
means "the place [where people meet]." This melting pot of different cultures,
しかし，この異なる文化の溶け合うるつぼは，
however, was once invaded by Genghis Khan in the thirteenth century. **19** (As a
13世紀にチンギス・ハーンによって一度侵略されたことがある。
result), it was completely destroyed. Then, in the fourteenth century, Timur, the
（結果として），それ（＝サマルカンド）は完全に破壊された。
founder of the Timurid Empire, restored this great city with the latest technology
創設者　ティムール帝国　を再建した　＝サマルカンド　最新の
at the time. Now it is sometimes called the" Blue Capital" because of the beautiful
当時　＝サマルカンド
blue tiles on the historical buildings.
歴史的な　建物

In 2001, this city was registered as one of the World Heritage Sites to protect
＝サマルカンド　～として登録された　世界遺産　守るために
this beautiful place. Every year, a lot of tourists come to this city to enjoy its
観光客　＝サマルカンド
beautiful, historical sights. As this city was founded in an oasis in the desert,
景色　～なので　＝サマルカンド　建てられた　砂漠
the difference of temperature between summer and winter is huge. Therefore,
差　巨大な　それゆえ
the best season [to visit] is spring or autumn. Mosques and temples attract
モスクや寺院は多くの観光客を引きつける。
many tourists. The buildings [, which are decorated with beautiful, blue tiles,]
建物は，美しい青いタイルで装飾されていて，
20 (are worth visiting). Another attractive place in Samarkand is the markets.
訪れる価値がある。　魅力的な　市場
Not only various kinds of food but also clothing and souvenirs are sold there.
衣服　おみやげ
When tourists see the Arabic spices, Russian piroshkis, and Korean kimchi sold at
アラビアのスパイス　ロシアのピロシキ　韓国のキムチ
the same place, they can experience and feel the signs of the crossroad of Silk Road.
同じ場所で売られるのを　経験する

(18)
1 Chosen as the best city
最も良い都市に選ばれたので
2 Predicted in an old book
古い本で予言されたので
3 Compared with other cities
他の都市と比べると
4 **Located in a large oasis**
大きなオアシスに位置していたので

(19)
1 On the contrary
それどころか，逆に
2 For the time being
しばらくの間
3 **As a result**
結果として
4 So far
今までのところ

(20)
1 have waited to be popular
人気になるまで待っていた
2 **are worth visiting**
訪れる価値がある
3 have been forgotten
忘れられてしまった
4 are now too old to enjoy
今は古すぎて楽しめない

【訳】サマルカンド

サマルカンドはウズベキスタンにある都市である。いくつかの証拠は，人々が紀元前1500年頃にこの地域に定住し始めたことを示している。それ以来，それはアジアで最も重要な都市の1つとなった。18(大きなオアシスに位置していたので)，かつてはさまざまな人々が出会うシルクロードの十字路であった。サマルカンドという名前は，「人々が出会う場所」という意味だ。しかし，この異なる文化の溶け合うるつぼは，13世紀にチンギス・ハーンによって一度侵略されたことがある。19(結果として)，完全に破壊された。そして，14世紀には，ティムール帝国の創設者であるティムールが，当時の最新の技術でこの偉大な都市を再建した。現在では，歴史的な建物に美しい青いタイルが施されていることから，「青い首都」と呼ばれることもある。

この美しい場所を守るため，この都市は2001年に世界遺産の1つに登録された。毎年，多くの観光客が美しい歴史的な景色を楽しむために，この都市にやって来る。この都市は砂漠のオアシスに建てられたので，夏と冬の気温差が大きい。それゆえ，訪れるのに最適な季節は春か秋だ。モスクや寺院は多くの観光客を引きつける。建物は，美しい青いタイルで装飾されていて，20(訪れる価値がある)。サマルカンドのもう1つの魅力的な場所は市場である。いろいろな種類の食べ物だけでなく，衣類やみやげも売られている。アラビアのスパイス，ロシアのピロシキ，韓国のキムチが同じ場所で売られているのを見ると，観光客はシルクロードの十字路のきざしを体験し，感じることができる。

Calendars

暦(こよみ)

A calendar is one of the things [we can't live without]. Having a common
暦　なしでは生きていけないもの　世界中の人が日や月の
calendar is essential for people around the world to share the same concept of
同じ概念を共有するためには，共通の暦があることが不可欠だ。
days and months. Then, **21** (in the first place), who made the calendar?
では，（そもそも）暦は誰が作ったのだろうか？

The first calendar is said to have been made in Egypt around 3000 BC.
最初の暦は，紀元前 3000 年頃のエジプトで作られたと言われている。
People [living in Egypt at that time] first noticed the Nile River flooded when
当時　気づいた　ナイル川　氾濫する
they saw the star Sirius in the east. Next, they noticed that this moment came
東に　次に，その瞬間が 365 日ごとに生じることに気づいた。
about every 365 days. Egyptian people made the Egyptian calendar **22** (based
エジプト人はエジプト暦を作った（この事実に
on this fact). Thanks to this calendar, farmers could manage their work such
基づいて，）。　この暦のおかげで，　農民はいつ種をまき，いつ収穫するかといった作業の管
as when to plant seeds and when to pick.
理ができるようになった。

This Egyptian calendar, however, was not accurate as a year contained only
しかし，このエジプト暦は，　1 年が 365 日しかないため，正確ではなかった。
365 days. Other calendars were made, but none of them were accurate. Then,
in 46 BC, Julius Caesar made a new calendar. In this calendar, a year contained
ユリウス・カエサル
365.25 days and had a leap year once every four years to adjust. This calendar
うるう年　調整するため
is called the Julius Calendar and was used for more than 1,600 years.
ユリウス暦　〜以上

However, even the Julius Calendar **23** (was found inaccurate). Every 128
しかし，　ユリウス暦も　（不正確だとわかった）。　128 年
years, the calendar shifted one day. This error made the date of Easter shift
ごとに，暦が 1 日ずれていた。　この誤差により，イースターの日付がずれてしまい，
[, which was a serious problem for Christians]. So, in 1579, the Pope of that
キリスト教徒にとっては深刻な問題だった。　ローマ教皇
time launched a committee [to make a new accurate calendar], and finally in
立ち上げた　委員会
1582, the Gregorian Calendar, named after the Pope of that time, began to be
グレゴリオ暦　〜にちなんで名づけられた
used. This is the calendar [that most of the people in the world currently use].
これ（＝グレゴリオ暦）　現在

(21)
1 in the first place
そもそも
2 in the meantime
同時に
3 what is called
いわゆる
4 on the whole
全体として

(22)
1 kept secret for years
長年秘密を守った
2 written in Egyptian
エジプト語で書かれた
3 based on this fact
この事実に基づいた
4 used only by farmers
農民によってのみ使われた

(23)
1 predicted the future
未来を予測した
2 was found inaccurate
不正確だとわかった
3 vanished after many years
何年も後に消滅した
4 was changed by power
権力によって変えられた

【訳】暦

暦は，私たちにとってなくてはならないものの１つである。世界中の人が日や月の同じ概念を共有するためには，共通の暦があることが不可欠だ。では，21（そもそも）暦は誰が作ったのだろうか？

最初の暦は，紀元前3000年頃のエジプトで作られたと言われている。当時のエジプトに住んでいた人々は，まず東にシリウスという星を見たときにナイル川が氾濫することに気づいた。次に，その瞬間が365日ごとに生じることに気づいた。22（この事実に基づいて，）エジプト人はエジプト暦を作った。この暦のおかげで，農民はいつ種をまき，いつ収穫するかといった作業の管理ができるようになった。

しかし，このエジプト暦は，１年が365日しかないため，正確ではなかった。他の暦も作られたが，どれも正確ではなかった。そこで，紀元前46年，ユリウス・カエサルが新しい暦を作った。この暦では，１年は365.25日で，調整するために４年に１度，うるう年を設けた。この暦はユリウス暦と呼ばれ，1600年以上にわたって使われた。

しかし，ユリウス暦も23（不正確だとわかった）。128年ごとに，暦が１日ずれていた。この誤差により，イースターの日付がずれてしまい，キリスト教徒にとっては深刻な問題だった。そこで，1579年，当時のローマ教皇が新しい正確な暦を作るための委員会を立ち上げ，ついに1582年，当時の教皇の名前にちなんで名づけられたグレゴリオ暦が使われ始めた。これが現在，世界のほとんどの人が使っている暦である。

From: Mountain Camping Shop

To: Jennifer Miller

Date: June 14

Subject: Thank you for shopping with us

Dear Ms. Jennifer Miller,

24

Thank you for shopping at Mountain Camping Shop's online store on June 12. Your order includes 1 medium size Mountain Tent, 1 Wooden Table, and 4 Comfy Chairs in green. As for the tent and the table, we have them in stock. However, we're sorry to say that we only have 2 Comfy Chairs in green [left in stock]. We apologize that we couldn't tell you about our stock when you ordered online.

6月12日にマウンテンキャンピングショップのオンラインストアでお買い上げいただき，ありがとうございました。

order 注文 / includes 含む / As for ～に関しては / have them in stock 在庫がある / we're sorry to say that 残念ながら～と言う / We apologize that ～について謝る / about our stock 在庫について

We have no idea when the Comfy Chairs in green will be available again. We can just cancel your order for the chairs if you don't need them right away. If you do need chairs, we can offer you two options. 25 1つ目の選択肢 If you can wait until they are back in stock, we can send you two chairs now and will send the remaining two when we get them. 2つ目の選択肢 The shipping fee will be free for both shipments.

available 入手可能 / two 2つの / options 選択肢

在庫が戻るまでお待ちいただければ，今，椅子を2つお送りできますし，残りの2つは入荷したらお送りします。

The shipping fee 輸送料 / shipments 出荷，発送

If you would like to buy a different kind of chair, we have a variety of camping chairs at our shop. You are always welcome at our shop

variety of さまざまな

on Hampton Street or you can order online again. If you find some chairs you like, we will send them with the tent and the table, and you don't need to pay a shipping fee. **In that case, we will also offer a 5% discount on all of your purchases.**

26 他の椅子を買った場合

その場合は、私たちはあなたのすべての購入に対して 5% の割引も提供します。

We are very sorry for the inconvenience and look forward to your reply.

ご不便をおかけして申し訳ありませんが、お返事をお待ちしております。

Regards,

Mountain Camping Shop

日付がヒント

(*24*) On June 12, Jennifer Miller ________.

6 月 12 日、ジェニファー・ミラーは

1 received an email from Mountain Camping Shop.
マウンテンキャンピングショップからメールを受け取った。

2 ordered two Comfy Chairs in green.
緑のコンフィーチェア 2 つを注文した。

3 went to the shop to purchase camping equipment.
キャンプ用品を買うためにショップに行った。

4 shopped online at the Mountain Camping Shop.
マウンテンキャンピングショップでオンラインショッピングをした。

(*25*) If Jennifer wants to get 4 Comfy Chairs, what should she do?

もしジェニファーがコンフィーチェアを 4 つ買いたい場合、どうすればいいか?

1 She should wait until the shop checks its stock.
お店が在庫を確認するまで待つ。

2 She should pay the shipping fee to send them to her.
送料を支払ってそれらを彼女に送ってもらう。

3 She should wait until they are restocked.
再入荷されるまで待つ。

4 She should go to the shop on Hampton Street.
ハンプトン通りにあるお店に行く。

(*26*) What will the shop do if Jennifer buys other chairs?
ジェニファーが他の椅子を購入する場合，ショップはどのような対応をするか？

1 **They will give her a 5% reduction in prices for her purchases.**
ジェニファーが買った商品の価格を 5% 引きにする。

2 They will send an email explaining the details of the discount.
割引の詳細を説明する E メールを送る。

3 They will give her a Wooden Table for free.
木製テーブルを無料でプレゼントする。

4 They will ask her to come to the shop to pick them up.
お店に取りに来るように彼女にたのむ。

【訳】

送信元：マウンテンキャンピングショップ
宛先：ジェニファー・ミラー
日付：6 月 14 日
件名：お買い上げありがとうございました

ジェニファー・ミラー様

24 6 月 12 日にマウンテンキャンピングショップのオンラインストアでお買い上げいただき，ありがとうございました。お客様のご注文には，M サイズのマウンテンテントが 1 つ，木製テーブルが 1 つ，緑のコンフィーチェアが 4 つ含まれています。テントとテーブルに関しては，在庫があります。しかし，申し訳ありませんが，緑色のコンフィーチェアの在庫は 2 つしかありません。オンラインでご注文いただいた際に，我が社の在庫についてお伝えできなかったことをお詫び申し上げます。

緑のコンフィーチェアがいつ再入荷するかわかりません。すぐに必要でなければ，椅子のご注文をキャンセルすることもできます。もしどうしても椅子が必要でしたら，2 つの選択肢がございます。25 在庫が戻るまでお待ちいただければ，今，椅子を 2 つお送りできますし，残りの 2 つは入荷したらお送りします。どちらの発送も送料は無料です。

別の種類の椅子をお求めでしたら，当店ではさまざまな種類のキャンプ用椅子をご用意しています。ハンプトン通りの私たちのお店ではいつでも歓迎しますし，またオンラインで注文することもできます。気に入った椅子があれば，テントとテーブルと一緒にお送りしますので，送料はかかりません。26 その場合は，私たちはあなたのすべての購入に対して 5% の割引も提供します。

ご不便をおかけして申し訳ありませんが，お返事をお待ちしております。

よろしくお願いします。

マウンテンキャンピングショップ

解答解説｜3B　(1～2段落)

The Luddite Club

ラッダイト・クラブ

If you visit Prospect Park in New York on Sunday, you can see a group of high school students [gathering in one place]. They don't force themselves to do the same thing at the same time. They spend their time freely. Some of them read books. Some of them paint. Some of them just talk, insisting how awful their parents are. They look exactly like other high school students, but there is one thing other students do and they don't; use their smartphones. They are the members of a club [called the "Luddite Club"] and they come to this place every Sunday. "No Smartphones" is the only rule of this club. As they don't use their smartphones, they don't keep in touch online. (27) Under any weather condition, they meet in this park on Sundays because there is no way for them to get in touch with each other.

1か所に集まった高校生の一団　～することを強制する　自由に　彼らの両親がどんなにひどいか主張しながら　つまり　他の学生がやっていて、彼らがやっていないこと　ラッダイト・クラブと呼ばれるクラブ　～なので　連絡をとる　どんな気象条件でも、彼らは日曜日にこの公園で会う　なぜなら　彼らがお互いに連絡を取る方法がないからだ。

The name "Luddite" comes from the Luddite movement [started in the 1810s in England]. This movement is said to be named after the leader of the movement, Ned Ludd, though no one is sure if he really existed. (28) During the Industrial Revolution, handcraft professionals from textile factories destroyed machines, fearing that they might lose their jobs. Logan Lane, a high school student in New York and a founder of the club, named the club after this movement. The members of the club do not actually destroy smartphones, but they keep themselves away from them.

～に由来する　1810年代にイングランドで始まったラッダイト運動　～にちなんで名づけられたと言われている　～かどうか誰もわからないけれど　存在する　産業革命の間、織物工場の手工芸の職人たちは、機械を破壊した。仕事を失うのではないかと恐れて。　ローガン・レーン、彼女はニューヨークの高校生でそのクラブの創設者だったが、　この運動にちなんでそのクラブを名付けた。

(*27*) Even when it's rainy, the members go to the park because
雨の日でも、メンバーが公園へ行くのは

1 **they have no way to know if the meeting is cancelled or not.**
会合が中止になったかどうか、知る方法がないからだ。

2 they don't care if they get wet or feel uncomfortable.
ぬれても、不快に感じても、気にしないからだ。

3 it is the only rule they have to follow.
それが、彼らが従わなければならない唯一のルールだからだ。

4 there is no other place for them to go.
彼らにとっては他に行く場所がないからだ。

(*28*) The Luddite movement was started by handcraft professionals who
ラッダイト運動は、手工芸の職人たちが始めたもので

1 wanted to get people's attention to become famous.
彼らは有名になるために人々の注目を浴びようとした。

2 thought that machines were not necessary for the factories.
彼らは、工場に機械は必要ないと思っていた。

3 **were worried that their boss might not hire them anymore.**
彼らは、上司がもう雇ってくれないかもしれないと心配していた。

4 tried to show people that machines were not useful.
彼らは、機械が役に立たないことを人々に示そうとした。

解答解説 | 3B （3～4段落）

29

Logan once used her smartphone heavily like other high school students. She
ローガンはかつて，他の高校生と同じようにスマートフォンを多用していた。 彼女は
took photos of herself, posted them on social media, and clicked the "like" button on
自分の写真を撮り， それをソーシャルメディアに投稿し， 友人たちの投稿に「いいね」ボタンを
the posts [made by her friends]. Then, (during the lockdown due to the COVID-19
クリックした。 外出禁止 新型コロナの世界的流行が原因の
pandemic), she used too much social media and became fed up with it. She put her
～に飽きる
phone back in the box and didn't touch it. One day, when she joined a party, she
met Jameson Butler. 30 What they had in common was that neither of them had their
どちらも～ない
彼らに共通していたのは，どちらもスマートフォンを持っていなかったことだ。
smartphones. They got along well with each other soon and decided to found the
仲良くなる ～を設立する
Luddite Club.

In fact, the number of the students [who belong to this club] is not so large.
実は，このクラブに所属している学生の数はそれほど多くない。
However, there are adults [who find the idea interesting]. Most adults spent their
しかし， そのアイデアをおもしろいと思う大人もいる。
high school lives without smartphones. They used to check dictionaries or
～なしで かつて～した
books when they found something [they didn't know or understand]. They had to
remember the way if they wanted to drive to a place [they had never been to]. Now,
行ったことがない場所
they check everything using smartphones and some of them are even addicted to
それら（＝スマートフォン）
them. It may be important for not only high school students but also for people
の中毒になる 高校生だけでなくすべての世代の人々にとって
from all generations to intentionally stay away from their smartphones once in a
意図的に ときどき
while.

(*29*) Before founding the club, Logan
クラブを設立する前に、ローガンは

1 did everything to make herself famous.
自分を有名にするためにあらゆることをした。

2 put her smartphone back in the box once a day.
1日に1回、スマートフォンを箱に戻した。

3 **used to be a typical student who loved social media.**
ソーシャルメディアが大好きな典型的な学生だった。

4 disliked other students who used social media quite often.
ソーシャルメディアをよく使う他の生徒が嫌いだった。

(*30*) Logan and Jameson became good friends because
ローガンとジェイムソンが仲良しになったのは

1 they both thought social media was good for students.
2人とも、ソーシャルメディアは学生にとって良いものだと考えていたから。

2 they both didn't want to join the party.
2人ともパーティーに参加したくなかったから。

3 they communicated with each other using social media.
2人ともソーシャルメディアを使ってコミュニケーションをとっていたから。

4 **they shared the same idea about smartphones.**
彼らはスマートフォンについて同じ考えを持っていたから。

(*31*) Which of the following statements is true?
次の記述のうち、正しいものはどれか？

1 Once you join the Luddite Club, it is difficult to quit.
一度ラッダイト・クラブに入ったら、辞めるのは難しい。

2 The members of the club must be good readers.
クラブのメンバーは良い読書家でなければならない。

3 Logan asked many students to join the club and succeeded.
ローガンは多くの学生にクラブに入るように頼み、成功した。　× 本文と異なる記述

4 **Some adults are interested in the Luddite Club.**
ラッダイト・クラブに興味を持つ大人もいる。

START

【訳】ラッダイト・クラブ

日曜日にニューヨークのプロスペクト・パークを訪れると，高校生のグループが一堂に会する光景が見られる。彼らは同じことを同時にすることを強制しない。彼らは自由に時間を過ごす。本を読む人もいる。絵を描く人もいる。中には，自分の親がどれほどひどいのかを主張しながらただ話す人もいる。彼らは他の高校生と全く同じように見えるが，他の学生がやっていて，彼らがやっていないことが１つある。スマートフォンを使うことだ。彼らは「ラッダイト・クラブ」と呼ばれるクラブのメンバーで，毎週日曜日にこの場所に来る。「スマートフォン禁止」がこのクラブの唯一のルールだ。彼らはスマートフォンを使わないので，オンラインで連絡を取り合うことはしない。27どんな気象条件でも，彼らは日曜日にこの公園で会う。なぜなら，彼らがお互いに連絡を取る方法がないからだ。

「ラッダイト」という名前は，1810年代にイングランドで始まったラッダイト運動に由来する。この運動は，運動のリーダーであるネッド・ラッドにちなんで名づけられたと言われているが，彼が本当に存在したかどうかは誰にもわからない。28産業革命の間，織物工場の手工芸職人たちは，仕事を失うのではないかと恐れて機械を破壊した。クラブの創設者であるニューヨークの高校生ローガン・レーンは，この運動にちなんでクラブに名前をつけた。クラブのメンバーは実際にスマートフォンを破壊するのではなく，スマートフォンから離れている。

29ローガンはかつて，他の高校生と同じ様にスマートフォンを多用していた。彼女は自分の写真を撮り，それをソーシャルメディアに投稿し，友人たちの投稿に「いいね」ボタンをクリックした。その後，新型コロナウィルスのパンデミック(世界的流行)によるロックダウン(外出禁止)中に，彼女はソーシャルメディアを使いすぎてそれにうんざりした。彼女は電話を箱に戻し，それには触れなかった。ある日，彼女がパーティーに参加したとき，彼女はジェイムソン・バトラーに会った。30彼らに共通していたのは，どちらもスマートフォンを持っていなかったことだ。彼らはすぐに仲良くなり，ラッダイト・クラブを設立することにした。

31実は，このクラブに所属している学生の数はそれほど多くない。しかし，大人の中には，そのアイディアをおもしろいと思う人もいる。ほとんどの大人はスマートフォンなしで高校生活を送っていた。彼らは，知らないことや理解できないことを見つけたときには，辞書や本をチェックした。行ったことのない場所に車で行きたい場合は，道を覚えなければならなかった。今では，スマートフォンを使ってすべてをチェックし，中にはスマートフォン中毒になっている人さえもいる。高校生だけでなく，あらゆる世代の人が，ときには意図的にスマートフォンから離れることが重要かもしれない。

GOAL

第1パラグラフ

These days, more people learn through online courses.
= Nowadays　= people are increasingly choosing to learn の書き換え

people are increasingly choosing to learn を more people learn にして、内容をシンプルにしつつ、比較級を用いて、そのような人が増えていることを表せる。また、Nowadays を These days に書き換えるのもよい

第2パラグラフ

In this way, they can easily find their teachers anytime and join the
=1文目の内容（オンラインで学ぶこと）　= attend

courses at home through their own device.
=smartphone と personal computer を1単語にまとめる

まず、1文目の内容（オンラインで学ぶこと）を In this way で表すことができる。そして、いろいろな詳細な情報をそぎ落とし、重要な点だけをまとめる。attend は join に、smartphone と personal computer は device にパラフレーズすることで、高得点につながる

第3パラグラフ

However, in online lessons, they can't have discussions or
= Regardless

questions with ease. In addition, for teachers, it is more difficult to
= easily　= Moreover

see how students study online.
最終文の「生徒が理解しているか、内容についてきているか」

「生徒が理解しているか、内容についてきているか」という具体的な内容を、how students study と短く一般化することができるね。そして、パラフレーズとしては、Regardless を However に、easily を with ease に、Moreover を In addition にしているのがポイント

【語数】54語

問題文訳

下線は要約に使える部分

何か新しいことを学びたいとき、対面式の講習会や学校での授業に参加する人たちがいる。個別のプライベートレッスンを受けるために、個別指導者を雇う人もいる。しかし、最近は、オンライン講座を通して学ぶことを選ぶ人が増えてきている。

オンライン講座を登録することで、忙しいスケジュールに当てはまるレッスンを提供してくれる先生を世界中からかんたんに見つけられる。さらに、家からかんたんに便利に、自分のスマホやパソコンを使ってこれらの講座に参加できる。だから、彼らはムダな時間やお金をどこかに行くことで使う必要がない。

それにもかかわらず、オンライン講座で学ぶことにはネガティブな面もある。オンライン講座に参加する人は、かんたんにグループでの議論をしたり、他の生徒に質問したりできない。それは一つの重要な学習方法であるのに。加えて、先生たちにとっては生徒を観察することがより難しい。生徒を対面で見ることができないときに、生徒が理解しているか、内容についてきているかを確認することは難しい。

解答例訳

最近、より多くの人がオンライン講座を通して学んでいる。
この方法で、いつでもかんたんに先生を見つけることができ、自宅で自分のデバイスで講座に参加できる。
しかしながら、オンラインレッスンでは、かんたんに議論や質問ができない。加えて、先生にとっては、オンラインで生徒たちがどのように勉強しているかを見ることはより難しいことである。

 ライティング（意見論述問題）

▼ 賛成

I think that we all should use cashless payments in the place of cash.
主張
I have two reasons why I think so.

First, they are obviously convenient. Now, most of the cashless payment
理由① 理由①の補足
systems can be used with smartphones, so all we have to take with us when going out is our smartphone. When buying something, payments are processed just by showing our smartphone.

Second, we can know how much money we use by checking our apps. We
理由②
don't have to collect the receipts.

Cashless payments are easier to control than paying in cash.
理由②の補足
For these reasons, I agree that we should use cashless payments rather than
結論
cash.

【語数】108 語

私は全員が現金の代わりにキャッシュレス決済を利用するべきだと思います。私がそう思う理由が2つあります。
まず，明らかに便利です。今，キャッシュレス決済のほとんどはスマートフォンで利用できるので，外出時に持っていくのはスマートフォンだけです。何かを買うときも，スマートフォンを見せるだけで決済が完了します。
2つ目は，アプリで確認することで，自分がどれだけお金を使っているのかがわかることです。レシートを集める必要がありません。キャッシュレス決済は，現金で支払うよりもコントロールしやすいのです。
これらの理由から，私は現金よりも，キャッシュレス決済を利用することに賛成です。

START

▼ 反対

I do not think we should use cashless payments instead of cash. I have two
主張
reasons to support my opinion.

First, I am worried about their security. I believe no online system is
理由①
perfect. If the system gets hacked, somebody might steal my money very
理由①の補足
easily.

Second, some people, especially the elderly, cannot figure out how to use
理由②
cashless payments. I know smartphones or credit cards are used to make cashless payments, but there are some people who cannot use them. If shops do not accept cash, then those people cannot buy anything.
理由②の補足

Therefore, I do not agree that we should quit using cash and use just
結論
cashless payments.

【語数】 109語

私は現金の代わりにキャッシュレス決済を使うべきでないと思います。私の意見を支える2つの理由があります。
まず，セキュリティが心配です。オンラインシステムに完璧はないと思っています。もしハッキングされたら，かんたんにお金を盗まれてしまうかもしれません。
第2に，特に高齢者の中には，キャッシュレス決済の利用の仕方が分からない人がいることです。キャッシュレス決済にはスマートフォンやクレジットカードが使われますが，それらが使えないという人もいると思います。
お店やレストランで現金が使えないと，その人たちは何も買えません。
だから，現金を使うのをやめてキャッシュレス決済だけを使うべきだということに賛成できません。

- 最初に「賛成」か「反対」の立場を明らかにする1文を書こう。
- 最初に明らかにした立場を最後まで変えないようにしよう。
- First, Second などを使って具体的な理由を2つほど挙げて説明しよう。
- 最後に Therefore, などを使って結論となる文を書こう。

GOAL

解答解説 | 6 リスニング

第1部

No.1

46

★ Oh, that must be the latest issue of the comics [written by Marcus Jr.]!
ああ、それはマーカス・ジュニアが書いたマンガの最新号にちがいない。

☆ That's right. I got it last week.
その通り。 先週手に入れたよ。

★ Really? It was so popular that I couldn't buy it yesterday. Where did you get it?
本当? とても人気で、 ぼくは昨日買えなかった。 どこで手に入れたの?

☆ It was my cousin who got it for me. I'll call him and ask where he got it.
買ってくれたのは、いとこです。 電話して、どこでそれ(=マンガ)を手に入れたのか聞いてみるよ。

Question: Why will the woman call her cousin?
なぜ女性は彼女のいとこに電話するのか?

Answer:
1 To tell him that the new comic book is interesting.
新しいマンガが面白いと彼に伝えるため。
2 To ask him to buy another comic.
別のマンガを買ってくるように頼むため。
3 To tell him that she has a new comic book.
彼女が新しいマンガを持っていることを彼に伝えるため。
4 **To ask him where he bought the comic book.**
どこでマンガを買ったのか彼に聞くため。

No.2

47

★ Excuse me, can you tell me what that "Sandwich Special" is?
すみません、 そのサンドイッチスペシャルとは何ですか?

☆ Sure, it has eggs, ham, lettuce, and tomatoes. It is the most popular dish at our café.
はい、 卵、ハム、レタス、トマトが入っています。 私たちのカフェでいちばん人気のメニューです。

★ It sounds good, but I'm allergic to tomatoes.
美味しそうですが、 トマトアレルギーなんです。

☆ Of course I can make one without tomatoes.
もちろん トマトなしでも作れます。

★ Then, I'll take that.
じゃあ、それにします。

Question: What did the man order?
その男性は何を注文したか?

Answer:
1 Sandwich with extra ham.
ハムを追加したサンドイッチ。
2 **Sandwich without tomatoes.**
トマトなしのサンドイッチ。
3 The second most popular dish.
2番目に人気のある料理。
4 A cup of tea.
1杯のお茶。

START

No.3 48

☆ Dad, do you remember [the painting] [I drew during the summer break]?
お父さん、夏休みに私が描いた絵のこと覚えてる？

★ Of course, I do, Katie. **It was a beautiful landscape painting of our favorite lake**, Lake Lennie.
もちろん、覚えているよ、ケイティ。それ（＝夏休みに描いた絵）は私たちのお気に入りの湖、レニー湖の美しい風景画だったね。

☆ That painting got the Best Drawing Prize at school! Isn't it awesome?
あの絵が学校で最優秀作品賞を受賞したの！最高じゃない？

★ I'm glad to hear that and I'm very proud of you, honey.
それを聞いてうれしいし、君をとても誇りに思うよ、ハニー（＝娘）。

Question: What is one thing we learn about Katie's painting?
ケイティの絵についてわかることは何か？

Answer:
1 Katie's father helped her draw it.
ケイティのお父さんが彼女の絵を描くのを手伝った。

2 **It is a painting of a lake.**
それは湖の絵である。

3 Katie's art teacher didn't like it.
ケイティの美術の先生はそれが好きではなかった。

4 Katie bought the painting.
ケイティはその絵を買った。

No.4 49

☆ After we finish seeing the musical, shall we have dinner together, Daniel?
ダニエル、ミュージカルを見終わったら、夕食を一緒に食べない？喜んでそうするね、スー。

★ I'd love to, Sue. How about Mexican food? I know [a good restaurant] [located near the hall].
メキシコ料理はどう？ホールの近くにあるいいレストランを知っているんだ。

☆ I've never eaten Mexican food. **I don't usually eat spicy food.**
メキシコ料理は食べたことがないわ。ふだんは辛いものは食べないの。

★ Oh, don't worry. They have [some dishes] [which are not spicy at all]. You should give them a try. I am sure you will like them.
あ、心配しないで。まったく辛くない料理もあるよ。試してみるといいよ。きっと気に入ると思う。

☆ All right, I'll try.
わかった、試してみるわ。

Question: Why is Sue worried about dinner?
スーはなぜ夕食のことを心配しているのか？

Answer:
1 She doesn't know if Daniel is hungry.
彼女はダニエルがお腹をすかせているかどうか知らない。

2 She wonders if the musical will finish on time.
彼女は、ミュージカルが時間通りに終わるのだろうかと思っている。

3 **She doesn't eat spicy food.**
彼女は辛いものを食べない。

4 She has never been to Mexico.
彼女はメキシコに行ったことがない。

GOAL

No.5

50

☆ Mr. Carter, may I take a day off next Wednesday? I want to volunteer to help kids at school.
カーターさん、来週の水曜日は休んでもいいですか？ 学校で子どもたちの手伝いをするボランティアをしたいです。

★ No problem, Gina. Before you take that day off, I want you to prepare the presentation for the next meeting on Friday.
問題ないよ、ジーナ。その日を休みにする前に、金曜日にある次の会議のプレゼンテーションの準備をしてほしいな。

☆ Actually, I have already finished it. I'll send it to you now, so could you check it?
実はもう終わりました。今送りしますので、確認していただけますか？

★ Wow, that's great. I'll check it right away.
おお、すごいね。すぐに確認するよ。

Question: What did Mr. Carter ask Gina to do?
カーター氏はジーナに何をするように頼んだのか？

Answer:
1 **Prepare the presentation for the meeting.**
会議用のプレゼンテーションを準備する。
2 Work as a volunteer to help kids at school.
ボランティアとして、学校で子どもたちの手伝いをする。
3 Attend the meeting on Friday.
金曜日の会議に出席する。
4 Send the presentation to his boss.
プレゼンテーションを上司に送信する。

No.6

51

☆ Oh, no, Matt! What happened to your foot?
おや、まあ、マット！ 足をどうしたの？

★ I broke one of my toes while practicing soccer yesterday. It was rainy and I slipped and fell to the ground.
昨日サッカーの練習中に片方の足の指を骨折したんだ。雨だったから、足をすべらせて地面に倒れたんだよ。

☆ That's too bad. How long will it take to recover?
それは大変。治るまでどれくらいかかるの？

★ According to the doctor, it will take about 2 weeks.
医師によると、2週間ほどかかるそうだよ。

Question: Why did Matt fall down while playing soccer?
なぜマットはサッカーをしていて転んだのか？

Answer:
1 Another player bumped into him.
他のプレーヤーが彼にぶつかった。
2 He hadn't played soccer for 2 weeks.
彼は2週間サッカーをしていなかった。
3 He got hurt and broke his toe.
彼はケガをして足の指を骨折した。
4 **The ground was slippery due to rain.**
雨のせいで地面がすべりやすかった。

No.7
52

☆ Welcome to Hampshire Shopping Mall. How can I help you?
ハンプシャー・ショッピングモールへようこそ。どうされましたか？

★ Would you tell me where the Central Shoe Shop is located? Last time I came here, it was on the second floor, but I can't find it today.
セントラル・シュー・ショップがどこにあるか教えてもらえますか？ 前回来たときは2階にありましたが、今日は見当たりません。

☆ Oh, the shop has just moved to the first floor, sir. It now has a larger space and more products. I hope you enjoy shopping there.
ああ、お客様、お店が1階に移転したばかりです。今では、より大きなスペースとより多くの商品があります。そこでの買い物を楽しんでください。

★ OK. Thanks a lot.
わかりました。ありがとう。

Question: What happened to the Central Shoe Shop?
セントラル・シュー・ショップはどうなったか？

Answer:
1 It was moved to the second floor.
2階に移動した。
2 It closed last month.
先月閉店した。
3 It is now on the first floor.
今は1階にある。
4 It became the largest shop.
最大のショップになった。

No.8
53

★ Alex, Mr. Lee called you during the meeting. I took the call from him and have a message for you.
アレックス、会議中にリーさんから電話がありました。私は彼から電話を受けて、あなたに伝言があります。

☆ Thanks, Nick. What did Mr. Lee say?
ありがとう、ニック。リーさんは何とおっしゃいましたか？

★ He told me that he was supposed to send you the result of the data analysis today, but something was wrong with the system [used to analyze the data].
本日、彼はデータ解析の結果をお送りすることになっていましたが、データ解析システムに不具合があったとのことです。

☆ OK, I'll call him back.
わかりました、かけ直します。

Question: What was Mr. Lee's problem?
リーさんの問題は何だったか？

Answer:
1 The result sent to Alex was wrong.
アレックスに送信された結果が間違っていた。
2 The result of the data analysis was lost.
データ解析の結果が失われた。
3 The meeting was too long.
会議が長すぎた。
4 The system didn't work.
システムが機能しなかった。

START
GOAL

No.9

54

★ I'm glad that we are finally here to enjoy a professional basketball game.
ついにプロのバスケットボールの試合を楽しむことができて嬉しいです。

☆ Yes. Oh, look at that player! He plays basketball well. I guess I have seen him before, but I can't remember his name.
はい。あ，あの選手を見てください！ 彼はバスケットボールが上手です。 前に会ったことがあると思いますが，彼の名前は思い出せません。

★ He must be Tony Clark. I think you went to the same school as he did.
トニー・クラークさんですね。 あなたは彼と同じ学校に通っていたと思います。

☆ You are right! He was one year junior to me. I never expected he would be the best player then, but I am glad he is now!
そうだ！ 私より１つ年下でした。 当時，彼が最高の選手になるとは思いませんでしたが， 今は彼がそう（最高の選手）になっていてうれしいです！

Question: How does the woman know Tony Clark?
その女性はどのようにしてトニー・クラークを知っているのか？

Answer:
1 She and Tony have a friend in common.
彼女とトニーには共通の友人がいる。
2 She and Tony went to the same school.
彼女とトニーは同じ学校に通っていた。
3 Tony was a teacher at her school.
トニーは彼女の学校の教師だった。
4 She played basketball with Tony.
彼女はトニーとバスケットボールをした。

No.10

55

☆ It smells really good. What are you baking, Ethan?
いい香りがする。 何を焼いてるの， イーサン？

★ It's an apple pie, Sophia. I bought a lot of non-standard apples for a reasonable price at the farmers' market.
アップルパイだよ， ソフィア。 農家の市場で，規格外のリンゴを手頃な値段でたくさん買ったんだ。

☆ What are non-standard apples?
規格外のリンゴって何？

★ They are apples [which are too small or irregularly shaped], so they can't be sold at supermarkets. They taste the same, though.
小さすぎたり，形が不規則なリンゴなので， スーパーでは売れないんだ。 味は同じなんだけどね。

☆ I can't wait to eat them!
早く食べたい！

Question: What is good about non-standard apples?
規格外のリンゴの長所は何か？

Answer:
1 They can be sold only at supermarkets.
スーパーでしか販売されない。
2 They taste better than standard apples.
ふつうのリンゴよりおいしい。
3 They can be bought for a low price.
それらは低価格で購入できる。
4 They are the best apples for baking pies.
パイを焼くのに最適なリンゴである。

START

No.11

56

★ How was your weekend, Maggi?
マギー、週末はどうだった？

☆ Great, Ben. I went to the zoo to collect some information [I needed to write my report].
良かったわ、ベン。動物園に行って、レポートを書くのに必要な情報を集めたの。

★ The zoo? The zoo is the place [where children enjoy watching animals].
動物園？　動物園は、子どもたちが動物を見て楽しむ場所だよ。

☆ It's true that one of the important roles of zoos is to be enjoyable for children, but they also do research on animals to save them. I went there to gather some information.
たしかに、動物園の大切な役割の１つは、子どもたちに楽しんでもらうことだけど、動物を救うために動物の研究もしているのよ。情報を集めるためにそこ（＝動物園）へ行ったの。

Question: Why did Maggi go to the zoo?
マギーはなぜ動物園に行ったのか？

Answer:

1 To take her niece to the zoo.
彼女のめいを動物園に連れて行くため。

2 To do some research with the zoo staff.
動物園のスタッフと一緒に研究するため。

3 To collect information about animals.
動物についての情報を収集するため。

4 To enjoy herself like a small child.
小さな子どものように楽しむため。

No.12

57

★ Hi, honey, I'm heading for home now. Do you want me to buy anything?
ハニー（＝妻）、今、家に向かっているんだ。何か買っていこうか？

☆ Oh, James, thanks for asking. We are running out of shampoo.
あら、ジェームズ、聞いてくれてありがとう。シャンプーがなくなりそうなの。

★ All right. I'll stop by Top Hill Mart and get some.
わかった。トップヒルマートに寄って買っていくよ。

☆ I think Top Hill Mart is closed today. Green Forest Store should be open though.
今日はトップヒルマートは閉まっていると思うわ。でもグリーンフォレストストアは開いているはずだけど。

Question: What will the man probably do next?
男性はおそらく次に何をするだろうか？

Answer:

1 Go to Green Forest Store.
グリーンフォレストストアに行く。

2 Go to Top Hill Mart.
トップヒルマートに行く。

3 Go home without shopping.
買い物をせずに家に帰る。

4 Run back home.
家に走って帰る。

GOAL

No.13

58

☆ Hi, Lucas. You don't look happy. What's wrong?
こんにちは，ルーカス。嬉しそうじゃないね。 どうしたの？

★ Hi, Olivia. Don't I? You know we have a science exam today, right? I wanted to study hard last night, but I couldn't.
やあ，オリビア。そうかな？ 今日は理科の試験があるんだよね。昨夜は一生懸命勉強したかったんだけど， できなかったんだ。

☆ That's too bad. What did you do last night, then?
それは気の毒に。 それで，昨夜はどうしたの？

★ I felt very sleepy at around 8 p.m., so I decided to take a nap for an hour. And as you can imagine, it was **morning** when I woke up.
午後８時頃，とても眠くなったので， １時間ほど仮眠をすることにしたんだ。ご想像の通り， 目覚めたのは朝だったんだ。

☆ Oh, no. I really hope you can pass the exam today.
あらまあ。今日は試験に合格できるといいね。

Question: What did Lucas do last night?
昨夜ルーカスは何をしたか？

Answer:
1 He had a cold, so he went to bed early.
彼は風邪をひいていたので，早く寝た。
2 He tried to study, but he fell asleep.
彼は勉強しようとしたが，眠ってしまった。
3 He was sleepy, but he studied hard.
彼は眠かったが，一生懸命勉強した。
4 He studied math instead of science.
彼は理科の代わりに数学を勉強した。

No.14

59

☆ How come you are breathing so hard?
どうして呼吸がそんなに荒いの？

★ Two of the three elevators were out of order and **the queue [to take the only working elevator] was too long**. So, I decided to go up the stairs.
エレベーター３台のうち２台が故障していて，唯一動いているエレベーターに乗るための列が長すぎたんだ。 それで，階段を上ることにしたんだ。

☆ Wow, you mean you walked up the stairs from the first floor to the 15th floor?
えっ， １階から15階まで階段を歩いて上ったの？

★ Oh, it was really good exercise!
ああ，本当にいい運動になったよ！

Question: Why did the man use the stairs?
なぜその男性は階段を使ったのか？

Answer:
1 It is his daily routine to use the stairs.
階段を使うのが彼の日課だ。
2 All of the elevators stopped working.
エレベーターはすべて停止していた。
3 He didn't want to wait to take an elevator.
彼はエレベーターに乗るのに待ちたくなかった。
4 He wanted to repair the elevators.
彼はエレベーターを修理したかった。

START

No.15

60

★ Have you heard that a new player will join the local baseball team?
新しい選手が地元の野球チームに参加すると聞いた？

☆ Oh, yes, I have. I read the article [saying that he was quite talented]. I saw a video of him [in which he was playing] and I agree with the writer of the article.
あ，うん，聞いたよ。彼はかなり才能があるという記事を読んだよ。私は彼がプレーしている動画を見て，私はその記事の著者に賛成よ。

★ Wow, I really look forward to seeing him play at the stadium.
わあ，彼がスタジアムでプレーするのを見るのが本当に楽しみだな。

☆ Me, too. I will try to get tickets for his first game.
私も。彼の最初の試合のチケットを手に入れようと思う。

Question: What news are they talking about?
彼らはどんなニュースについて話しているか？

Answer:
1 **The new player on the local baseball team.**
地元の野球チームの新人選手。
2 The new stadium built this year.
今年建設された新しいスタジアム。
3 The new member of their baseball team.
彼らの野球チームの新メンバー。
4 The new writers for the local newspaper.
地方紙の新しいライター。

第2部

No.16

61

Michael works for a coffee shop. Yesterday, his boss, Ms. Lewis told him that she would pay him more from next month. He was quite happy to hear that because he had been working very hard for the coffee shop. He decided to do what he could to make the shop better.
マイケルはコーヒーショップで働いている。昨日，彼の上司のルイスさんが，来月から彼にもっとお金を払うと言った。彼はコーヒーショップで一生懸命働いていたので，それを聞いてとても喜んだ。彼はその店をより良くするためにできることをすることにした。

Question: Why was Michael happy after he talked with Ms. Lewis?
マイケルはルイスさんと話した後，うれしかったのはなぜか？

Answer:
1 She asked him to be the manager.
彼女は彼に店長になってほしいと頼んだ。
2 She decided to hire him at her coffee shop.
彼女は彼を自分の喫茶店で雇うことにした。
3 She introduced him to a new employee.
彼女は彼に新しい従業員を紹介した。
4 **She would raise his salary.**
彼女は彼の給料を上げるだろう。

GOAL

No.17

62

Wendy felt really hot and thirsty while heading for the station. As she
駅に向かっている間，ウェンディはとても暑くてのどがかわいた。
had some time, she went into a café on the way. She was going to drink
時間があったので，途中でカフェに入った。彼女は何か冷たいものを
something cold, but she ended up drinking hot tea as it was very cool in
飲もうとしたが，カフェの中はとても涼しかったので，けっきょく，熱い紅茶を飲んだ。
the café. She thought the café should adjust the temperature of the air
彼女は，カフェはエアコンの温度を調整すべきだと思った。
conditioner.

Question: What made Wendy change her mind?
何がウェンディの考えを変えたのか？

Answer:
1 **The temperature of the café.**
カフェの温度。
2 The attitude of the staff at the café.
カフェのスタッフの態度。
3 The temperature outside the café.
カフェの外の温度。
4 The amount of time she had.
彼女にあった時間。

No.18

63

Patty went to see a movie last week, but the person [sitting next to
パティは先週映画を見に行ったが，彼女のとなりに座っている人が迷惑だった。
her] was annoying. He kept talking to himself, eating popcorn loudly, and
彼はひとり言を言い続け，ポップコーンを音を立てて食べ，
moving his legs and arms. He even checked his smartphone from time to
足と腕を動かした。彼はときどきスマートフォンをチェックしさえした。
time. She wanted to ask him to stop that, but she wasn't brave enough. She
彼女は彼に止めるように頼みたかったが，彼女は勇気が足りなかった。彼女は
decided to see the movie again because she couldn't concentrate on it.
その映画に集中できなかったので，もう１度見ることにした。

Question: Why will Patty see the same movie again?
パティがまた同じ映画を見るのはなぜか？

Answer:
1 She liked the movie very much.
彼女はその映画がとても気に入った。
2 **She couldn't enjoy the movie because of the impolite man.**
彼女は失礼な男性のせいで映画を楽しむことができなかった。
3 The seat on which she sat was wrong.
彼女が座っていた席は，間違いだった。
4 The story was too difficult to understand.
その話は難しすぎて理解できなかった。

START

GOAL

No.19

64

Harry is a university student. He is working on a report [which is due today].
ハリーは大学生だ。　彼は今日が締め切りのレポートに取り組んでいる。
He has been busy writing other reports, so he started working on this one
彼は他のレポートを書くのに忙しかったので、　2日前からこのレポートに取り組み始めた。
two days ago. He must finish it in 3 hours to hand it in on time. He really
彼はそれを時間通りに提出するために、それを3時間で終わらせなければならない。
wishes he could have another day. If he can't hand it in on time, he might
彼は本当にもう1日あればなあと思っている。　時間通りに提出できないと、　授業（の単位）を
fail the class.
落としてしまうかもしれない。

Question: What is Harry's problem?
ハリーの問題は何か？

Answer:

1 He has many reports to finish in 3 hours.
彼には、3時間で完成させるレポートがたくさんある。

2 He has only one day to write his report.
彼がレポートを書くのに1日しかない。

3 He doesn't have much time to finish his report.
彼にはレポートを完成させる時間があまりない。

4 He has already failed the class.
彼はすでに授業に落ちてしまった。

No.20

65

When people started to eat chocolate more than 5,000 years ago, they also
5,000年以上前に人々がチョコレートを食べ始めたとき、　彼らはスパイス
made a chocolate drink with spices. It used to be a drink [which could be
を使ったチョコレートドリンクも作った。　それ（＝チョコレートドリンク）はかつて、お金持ちだけ
drunk only by the rich]. After some companies invented the machines and
が飲める飲み物だった。　19世紀にいくつかの会社がそれを固形にするための機械と技術を
the technology to make it solid in the 19th century, people all over the world
発明した後、　世界中の人々が甘いチョコレートを
started to enjoy sweet chocolate.
楽しむようになった。

Question: What is one thing we learn about chocolate?
チョコレートについてわかることは何か？

Answer:

1 Chocolate drinks were invented in the 19th century.
チョコレート飲料は19世紀に発明された。

2 Modern people started to eat it with milk.
現代の人はそれを牛乳と一緒に食べ始めた。

3 It was a kind of spice from around 5,000 years ago.
約5000年前からあるスパイスの一種だ。

4 It was a liquid drunk only by rich people.
お金持ちだけが飲む液体だった。

No.21

66

Good evening. Welcome to Hudson City Hall. It's time to start our opera
こんばんは。 ハドソンシティホールへようこそ。 オペラ『蝶々夫人』の上演開始の
"Madam Butterfly," but **due to troubles with the lighting system, we are sorry**
時間になりましたが、 照明システムのトラブルのため、 残念ながら
to announce that we have to delay the performance. Our staff are now trying
公演を遅らせざるを得なくなりました。 今、スタッフができるかぎり早く
hard to fix it as soon as possible. **While you are waiting, we are offering free**
修理できるようにがんばっています。 お待ちいただく間、 私たちはロビーで無料の
drinks in our lobby. We will let you know when we are ready. We apologize
飲み物を提供しています。 準備ができましたらお知らせします。 ご不便をおかけして
for the inconvenience.
申し訳ありません。

Question: Why can the audience get free drinks?
なぜ観客は無料の飲み物を手に入れることができるのか？

Answer:
1 The content of the performance will be changed.
公演内容が変更になる。
2 The performance was postponed till the next day.
公演が翌日まで延期された。
3 They have to wait until the lighting system is fixed.
照明システムが修理されるまで待たなければならない。
4 The drinks in the lobby are always free.
ロビーラウンジの飲み物はいつでも無料である。

No.22

67

Every Saturday, I go to the gym to work out. On the way to the gym
毎週土曜日、 私はジムに運動に行く。 今日、ジムに行く途中、
today, I found a festival being held in Roseville Park. Having enough time,
ローズヴィル公園でお祭りが行われているのを見つけた。 十分な時間があったので、
I checked what kind of festival it was and it turned out to be a jazz festival.
私はそれがどんな祭りか調べたら、 それはジャズフェスティバルであることがわかった。
I have just called my father, [who loves jazz music very much], to tell him
そのことを伝えるために、 ジャズが大好きな父にちょうど電話したところだが、
about it, but he doesn't answer. **If he got this news, he would definitely join**
彼は出ない。 もし彼がこの知らせを聞いたら、きっとその祭りに参加するだろ
the festival.
うに。

Question: What would the woman's father do if he answered the call?
その女性の父親が電話に出たら、彼は何をしただろうか？

Answer:
1 Tell his daughter about the festival.
娘に祭りのことを話す。
2 Buy a guitar in Roseville Park.
ローズヴィル公園でギターを買う。
3 Enjoy the jazz festival.
ジャズフェスティバルを楽しむ。
4 Go to the gym to work out.
運動するためにジムに行く。

No.23

68

Ross was given a ticket for the orchestra concert by his friend. He didn't feel like going at first because classical music makes him sleepy. As his friend strongly recommended that he go, he went to the concert without expectation. Then, he enjoyed it very much. The orchestra played not only classical music but also pop music [he likes]. He decided to buy a ticket for their next concert.

ロスは友人からオーケストラのコンサートのチケットをもらった。彼はクラシック音楽で眠くなるので，最初は行きたくなかった。彼の友人が彼に行くことを強くすすめたので，彼は期待しないでコンサートに行った。そして，彼はそれをとても楽しんだ。そのオーケストラはクラシックだけでなく，彼が好きなポップスも演奏した。彼は彼らの次のコンサートのチケットを買うことにした。

Question: Why did Ross change his mind?
ロスが考えを変えたのはなぜか？

Answer:

1 The orchestra didn't play classical music.
オーケストラはクラシック音楽を演奏しなかった。

2 His friend told him that the orchestra was the best.
彼の友人は彼にオーケストラは最高だと言った。

3 He noticed that classical music was boring.
彼はクラシック音楽がつまらないことに気づいた。

4 **The concert was not what he had expected.**
コンサートは彼が思っていたものではなかった。

No.24

69

AI, or artificial intelligence, is now utilized in various industries. One of them [which has started to use it] is the agriculture industry. Using AI and data collected in fields, farmers can know how well their crops are growing, check if their crops have any diseases, and know when the best time to pick them is. It makes the work of farmers easier.

人工知能(AI)はさまざまな産業で活用されている。それを使い始めたうちの1つが農業だ。AIと畑で収集されたデータを使って，農家は作物がどれだけよく成長しているかを知り，作物に病気があるかどうかをチェックし，いつが収穫に最適な時期かを知ることができる。それは農家の仕事をよりかんたんにする。

Question : What makes the work of farmers easier?
農家の仕事をよりかんたんにするものは何か？

Answer:

1 **AI which gives useful information to them.**
有用な情報を提供するAI。

2 The data on some diseases which crops might spread.
作物が拡散させるかもしれないいくつかの病気に関するデータ。

3 Some other industries which use AI.
AIを利用しているその他の産業。

4 The robots that help them pick their crops.
彼らが作物を収穫するのを助けるロボット。

No.25

70

Josh was supposed to take the train to West Station at 9:10 this morning to
ジョシュは10時から始まる会議に出席するために、今朝9時10分にウエスト駅行きの電車に乗るはずだったが、
attend a meeting starting at 10, but he missed it because he couldn't wake up
寝坊して乗り遅れた。
on time. He took the train [that left 10 minutes later]. After arriving at West
彼は10分後に出た電車に乗った。 ウエスト駅に着いた後、
Station, he needed to go east, but he ran to the south wrongly. By the time
彼は東に行く必要があったが、 間違えて南に走った。 彼が会議室に
he arrived at the meeting room, half of the meeting was already over.
着いたときには、 会議の半分はすでに終わっていた。

Question: Why was Josh late for the meeting?
なぜジョシュは会議に遅れたのか？

Answer:
1 He couldn't get off the train at West Station.
彼はウエスト駅で電車を降りられなかったから。
2 **He overslept and got lost around West Station.**
彼は寝坊して、ウエスト駅付近で道に迷ったから。
3 He didn't know what time the meeting started.
彼は何時に会議が始まるか知らなかったから。
4 He was not sure where to go.
彼はどこへ行くべきか確信が持てなかったから。

No.26

71

Lily has a computer [which is quite old]. She wants to buy a new one. Last
リリーはかなり古いコンピュータを持っている。 彼女は新しいのを買いたいと思っている。 先週の
Sunday, she went to the computer shop and found a good one, but it was too
日曜日、 彼女はコンピュータショップに行って いいものを見つけたが、 それは高すぎた。
expensive. The computer [she liked] cost 1000 dollars, but she could pay no
彼女が気に入ったコンピュータは1000ドルしたが、 彼女は800ドルしか払え
more than 800 dollars. She gave up buying a new computer at that shop.
なかった。 彼女はその店で新しいコンピュータを買うのをあきらめた。

Question: Why didn't Lily purchase a computer last Sunday?
リリーが先週の日曜日にコンピュータを買わなかったのはなぜか？

Answer:
1 **The computer she liked was too expensive.**
彼女が気に入ったコンピュータは高すぎたから。
2 She couldn't find a good computer.
彼女は良いコンピュータを見つけることができなかったから。
3 The computer shop was closed.
コンピュータショップは閉鎖されたから。
4 The computer she liked was sold out.
彼女が気に入ったコンピュータは売り切れだったから。

No.27
72

Message pigeons were once used to communicate between people [who were apart] before the telephone system started to be used widely. Pigeons have a homing instinct, [with which they can find their way home even when they are released in a place far away from it]. **Taking advantage of this instinct,** people tied a piece of paper with a message to pigeons' legs and released them. It was a good way [to send secret messages].

伝書バトは、離れた人同士のコミュニケーションに使われていた、電話システムが広く使われるようになるまで。ハトには帰巣本能があり、遠く離れた場所で放されても家に帰る道を見つけることができる。この本能の利点を利用して、人々はメッセージが書かれた紙をハトの足に結び付けて放した。機密のメッセージを送るのに良い方法だった。

Question: How did the message pigeon system work?
どのようにして伝書バトの仕組みは機能したのか？

Answer:
1 Some pigeons could learn to fly to specific places.
ハトの中には、特定の場所に飛ぶことを学べたものもいる。
2 It worked with the help of the telephone system.
電話システムの助けを借りて作動した。
3 People trained pigeons to carry messages.
人は伝令を運ぶようにハトを訓練した。
4 **People fully utilized the instinct of pigeons.**
ハトの本能を十分に利用した。

No.28
73

One thing [I like about camping] is that I can take my time. When camping, I use much of my time for cooking, which I rarely do in my daily life. I usually cook meals [which can be heated up in 10 minutes with a microwave] and eat it while watching TV. At a camping site, I start by building a fire, take a lot of time to stew some meat and vegetables, and then eat slowly.

私がキャンプで好きなことの１つは、ゆっくりできることだ。キャンプでは、日常生活ではめったにしない料理に多くの時間を使う。私はふだん、電子レンジで10分で温められる料理を作って、テレビを見ながらそれを食べる。キャンプ場では、まず火をおこして、時間をかけて肉や野菜を煮込んでから、ゆっくり食べる。

Question : Why does this man like camping?
この男性がキャンプを好きなのはなぜか？

Answer:
1 He can enjoy the meal cooked by microwave.
彼は電子レンジで調理した食事を楽しむことができるから。
2 He can't watch TV while eating a meal.
食事をしながらテレビを見ることができないから。
3 The food tastes better at a camping site.
食べ物はキャンプ場の方がおいしいから。
4 **It is possible for him to take a lot of time.**
彼が多くの時間をかけることが可能だから。

START

GOAL

No.29

74

Welcome to Lakeside Shopping Mall today. As we posted on our website,
今日はレイクサイド・ショッピングモールへようこそ。 ホームページに掲載しました通り，
the shops and the restaurants in the West Wing will be closing two hours
西棟の店舗やレストランは 通常より2時間早く
earlier than usual because the annual electricity system check will be
閉店します 毎年の電気系統の点検が行われるため。
conducted. The shops and the restaurants in the East Wing will be open
東棟のお店やレストランは， 通常通り午後10時まで営業します。
until 10 p.m. as usual. Thank you for your understanding and please enjoy
ご理解いただきありがとうございます， 当モールでのお買
your shopping and dining at our mall.
い物とお食事をお楽しみください。

Question : Why was this announcement made?
この発表はなぜ行われたのか？

Answer:

1 To hope that all customers can enjoy the mall.
すべての客がモールを楽しめることを願うため。

2 To inform customers that the closing time changed.
閉館時間が変更になったことを客に知らせるため。

3 To introduce some shops in the East Wing.
東棟のお店を紹介するため。

4 To announce that the annual check was finished.
年に一度の点検が終わったことを発表するため。

No.30

75

An earthquake is something that most people want to avoid. We always
地震はほとんどの人が避けたいものだ。 私たちはいつも，
want to know when one will happen beforehand. For many years, scientists
いつそれが起こるかを事前に知りたいと思う。 何年もの間， 科学者たちは
have tried to predict it, but nowadays, they have concluded that it is almost
それらを予測しようと試みてきたが， 今日では， そうすることはほとんど不可能であると
impossible to do so. All we can do is be prepared for one to minimize the
結論づけられている。 私たちにできることは， 1人の被害を最小限に抑えるために準備する
damage.
ことだけだ。

Question: What is one thing we can do to reduce the damage of an earthquake?
地震の被害を減らすために私たちができることは何か？

Answer:

1 We have to pay attention to the news about earthquakes.
地震のニュースに注意しなければならない。

2 Initial behaviors after earthquakes are the most important.
地震後の初期の行動が最も重要である。

3 We should try to predict when earthquakes will occur.
地震がいつ起こるかを予測しようとすべきだ。

4 In case of an earthquake, we should be ready all the time.
地震が起きた場合に備えて，私たちは常に準備をしておくべきだ。

解答解説 | 7　スピーキング　76 ～ 80　05

76

Reusable Straws
再利用可能なストロー

Plastic waste has become one of the most serious environmental problems.
プラスチックごみは深刻な環境問題のひとつになりました。

Recently, coffee shops and restaurants have been trying to reduce this
最近では、コーヒー店やレストランでは、このごみを減らそうとしています

waste by replacing plastic straws. Nowadays, there are reusable metal
プラスチックのストローを替えることで。近頃は、環境問題を起こさない再利用できる

straws that do not cause environmental problems. Some companies
金属製のストローがあります。お客さんにそのような

provide such straws to their customers, and by doing so, they can help
ストローを提供する会社もあります，そのようにして、彼ら（＝それらの会社）

make the environment better for future generations.
は未来の世代のために環境をより良くする手助けをすることができます。

発音に注意する単語

reusable

waste

serious

environmental

replace

straw

customer

【Questions】

No.1

77

According to the passage, how can some companies help make the environment better for future generations?
本文によると、いくつかの会社はどのように未来の世代のために環境をより良くする手助けをしていますか?

(解答例)

— By providing reusable metal straws that do not cause environmental problems to their customers.
環境問題を起こさない金属製の再利用可能なストローをお客さんに提供することで。

No.2

78

Now, please look at the picture and describe the situation. You have 20 seconds to prepare. Your story should begin with the sentence on the card.
では、絵を見て状況を説明してください。準備時間は20秒です。あなたの話はカードの文から始めてください。

(解答例)

Maria and her friend Bob were looking for a place to take a rest.
指示文 マリアとその友達のボブは休憩する場所を探していた。

Maria said to Bob, "Let's have some drink here," in front of the coffee shop.
イラスト1 マリアはコーヒー店の前でボブに言った「ここで飲み物を飲もうよ」。

In the coffee shop, **after they sat down, a clerk took their orders.**
イラスト2① コーヒー店の中で、彼らが座った後に、店員が注文をとった。

Maria ordered a glass of iced coffee and Bob ordered a glass of juice.
イラスト2② マリアはアイスコーヒーを、ボブはジュースを注文した。

Three minutes later, **Maria took out her own straw from her bag.**
イラスト3① 3分後、マリアはカバンから自分のストローを取り出した。

Bob was surprised that she carried her own straw around.
イラスト3② ボブは彼女が自分のストローを持ち歩いていることに驚いた。

Now, Mr./Ms. —, please turn over the card and put it down.
では、〜さん、カードを裏返して置いてください。

START

No.3

79

Some people say that companies should use clean energy more, such as solar
企業は太陽光や風力などのクリーンエネルギーをもっと使うべきだと言う人もいます。

power and wind power. What do you think about that?
あなたはどう思いますか？

（解答例）

— I agree. Clean energy is ecofriendly and good for the environment. If more
私は同意します。クリーンエネルギーはエコで，環境に優しいです。

companies adopt to use solar and wind power, the problem of global warming
太陽光や風力を利用する企業が増えれば，　地球温暖化問題は解決するでしょう。

will be solved.

— I disagree. It is still unrealistic to use solar and wind power for most
私は反対します。多くの企業が太陽光や風力を利用するのは，まだ現実的ではありません。

companies. This is because it costs too much for them to use clean energy.
クリーンなエネルギーを使うのは企業にはコストがかかりすぎるからです。

No.4

80

Today, many people think that students should use digital textbooks.
今日では，多くの人が生徒はデジタル教科書を使うべきだと考えています。

Do you think it is good for students to use digital textbooks?
生徒がデジタル教科書を使うのはいいことだと思いますか？

（解答例）

Yes. → Why?
はい。→なぜですか？

— Students don't have to carry textbooks which are very heavy. Also, you
学生は，非常に重い教科書を持ち歩く必要がありません。　また，

can check the digital textbooks anywhere as long as you have a computer or a
パソコンやタブレットを持っていれば，どこでもデジタル教科書を確認できます。

tablet.

No. → Why not?
いいえ。→なぜですか？

— If students have digital textbooks, they have to look at the screen for a long
学生がデジタル教科書を持っていると，　画面を長時間見なければなりません。

time. I don't think it is good for their eyes, especially for the eyes of small
彼らの目，特に小さな子供の目には良くないと

GOAL

children.
思います。

監修者

野崎順　のざき じゅん

森村学園中等部高等部英語科教員。英検® 1級合格・国際バカロレアMYP及びDPコーディネーター。1981年生まれ。同志社大学卒業後、総合商社に勤務。退社後、JICA青年海外協力隊として中米ホンジュラスにて2年間青少年活動に従事。その後山梨学院中学校・高等学校に英語教員として勤務。英語科主任を務め、英検® 指導改革を実施。中学3年生の約7割が卒業までに準2級に合格し、約2割が2級に合格する学校へと変貌させた。長年にわたり英検® 対策講座を担当。
2024年現在、森村学園にて英検® 3級～1級の対策講座を担当。毎年多数の合格者を輩出している。

江川昭夫　えがわ あきお

教職46年。英語初期学習者の効率的学習法から海外子女帰国後の英語力の維持発展まで英語教育全般における実績に定評がある。佼成学園 教頭、アサンプション国際中学校・高等学校 校長、森村学園 中等部・高等部 校長を歴任。グローバル人財育成を主軸とするプログラムを成功に導く。2024年4月 大阪・豊中、履正社中学校 校長に就任。『一問一答　英検® 4級 完全攻略問題集』『同5級』（高橋書店）の著者。

編集協力：Juan Jose Soto Soto（山梨学院中学校・高等学校 英語科教諭）
動画撮影・編集：佐藤崇文

本書は2023年8月に発刊した書籍を、2024年度の試験リニューアルに合わせて加筆・訂正した改訂版です。

英検® 2級合格問題集

監修者　野崎　順　江川昭夫
発行者　清水美成
編集者　梅野浩太
発行所　**株式会社 高橋書店**
〒170-6014 東京都豊島区東池袋3-1-1 サンシャイン60 14階
電話　03-5957-7103

ISBN978-4-471-27619-5　©TAKAHASHI SHOTEN　Printed in Japan

定価はカバーに表示してあります。

本書の内容についてのご質問は「書名、質問事項（ページ、内容）、お客様のご連絡先」を明記のうえ、郵送、FAX、ホームページお問い合わせフォームから小社へお送りください。
回答にはお時間をいただく場合がございます。また、電話によるお問い合わせ、本書の内容を超えたご質問にはお答えできませんので、ご了承ください。本書に関する正誤等の情報は、小社ホームページもご参照ください。

【内容についての問い合わせ先】
書　面　〒170-6014 東京都豊島区東池袋3-1-1 サンシャイン60 14階　高橋書店編集部
ＦＡＸ　03-5957-7079
メール　小社ホームページお問い合わせフォームから　（https://www.takahashishoten.co.jp/）

【不良品についての問い合わせ先】
ページの順序間違い・抜けなど物理的欠陥がございましたら、電話03-5957-7076へお問い合わせください。
ただし、古書店等で購入・入手された商品の交換には一切応じられません。